Mon Histoire

Portrait en couverture : Henri Galeron

Titre original : *Nzingha : Warrior queen of Matamba*
Édition originale publiée par Scholastic Inc.,
557 Broadway, New York, NY 10012, USA
© Patricia C. McKissack, 2000, pour le texte
© Gallimard Jeunesse, 2006, pour la traduction française

Patricia C. McKissack

Nzingha, princesse africaine

1595-1596

Traduit de l'anglais (américain)
par Marie Saint-Dizier

GALLIMARD JEUNESSE

À Onawumi Jean Moss

Premier mois de mbangala, saison de l'herbe brûlée (juillet 1595)

Je m'appelle Nzingha. Mon père, Ndambi Kiluanji, le *ngola* du royaume mbundu de Ndongo, cite souvent ce dicton : « Le meilleur moyen de vaincre un ennemi est de le comprendre. » Je me répète ce proverbe chaque fois que j'écris en portugais, la langue de notre impitoyable ennemi.

Si j'écris en portugais, je pense en kimbundu, la langue de mon peuple. Pour nous, nos pâles envahisseurs portugais sont les *ndele*, maîtres des oiseaux aux ailes blanches. Avec leurs grandes voiles blanches, leurs bateaux ont la splendeur d'oiseaux flottant sur l'eau sombre. Les Mbundus firent bon accueil aux nouveaux venus qui apportaient des curiosités intéressantes pour le commerce.

Mais les visiteurs trahirent vite leurs paroles de paix et d'amour et en profitèrent pour nous envahir.

Les Portugais ne se contentent plus de régner sur les Eaux infinies. Ils veulent régner sur nos plaines et sur nos prairies, sur les arbres et les animaux. Ils veulent profiter de nos récoltes et de notre sous-sol. Nous asservir, voilà leur but. Il n'est pas question de nous fier à eux. Personne ne fera plier le peuple mbundu. Aussi nous battons-nous pour la liberté de notre peuple et de notre terre. À l'heure qu'il est, mon père guerroie pour repousser les Portugais. Nos espions nous ont rapporté qu'ils ont quitté leur forteresse de Luanda pour s'installer sur le continent mais ils n'ont pas poussé jusqu'à l'intérieur des terres et tentent maintenant d'installer des colonies sur le fleuve Cuanza.

Au cours de l'une des nombreuses batailles qu'il a remportées sur les Portugais, mon père a capturé le père Giovanni Gavazzi et conclu un marché avec lui : si le prêtre lui apprenait les coutumes des Portugais, il aurait la vie sauve. Ces événements se sont déroulés bien avant ma naissance, celles de Mukambu et de Kifunji, mes jeunes sœurs et celle de Mbandi, notre demi-frère.

Pendant sa captivité, le père Giovanni a gagné, grâce à sa persuasion, la confiance de mon père dont il est devenu l'un des conseillers. Maintenant, il éduque Mbandi qui sera sûrement le prochain *ngola*, bien qu'il ne soit pas très adroit à la lance. Je ne sais pas encore si le père Giovanni, qui est portugais, est un *bidibidi* inoffensif (un oiseau) ou s'il en veut à notre liberté comme un *kulala* (une cage).

Papa Kiluanji n'a pas vu l'intérêt de faire donner des leçons à ses filles qu'il remarque à peine. Heureusement, notre mère s'est arrangée pour que le prêtre nous instruise en secret.

Je n'ai payé au prêtre qu'une mesure de sel pour notre leçon quotidienne. S'il nous avait trahies, nous aurions fini la tête au bout d'une pique. Une question me tracasse. Ce prêtre a déjà trahi mon père puisqu'il a accepté de nous donner des leçons, contre sa volonté. Ne pourrait-il pas le trahir en des occasions autrement plus graves?

Le lendemain

Aujourd'hui, avec mes amis, j'ai fabriqué des flèches et trempé leurs pointes dans du venin de serpent, comme Njali nous l'a appris. Njali est le chef des Élus, les gardes du roi et il combat aux côtés de mon père. Il me manque car c'est mon ami, ou plutôt une sorte d'oncle. J'adorerais faire avec mon père ce que je fais avec lui mais mon père n'a d'yeux que pour mon vaurien de frère.

Tout ce que je connais des armes, Njali me l'a appris. Jeter la lance, le bras bien tendu. Ne jamais perdre la cible de vue, garder le bras droit quand on bande l'arc. Mais, plus important que tout, il ne me fait jamais sentir que je suis une fille.

Quand nous parlons de Njali, mon père et moi reconnaissons que c'est son meilleur conseiller. Njali, comme le père Giovanni, a été capturé au cours d'une bataille. Il appartient au peuple des Imbangalas, qui viennent des plaines au sud du fleuve Cuanza. Les Imbangalas, d'abord nos ennemis, se sont alliés à nous contre les Portugais. Njali a été libéré lui aussi mais il a décidé de rester avec nous.

– Votre père me paie bien pour me battre à ses côtés, répète-t-il de sa voix tonitruante.

On dit que les Imbangalas se montrent loyaux envers ceux qui les paient le plus. Je dirais mieux : la loyauté de Njali n'est pas de celles qu'on achète. Il a été blessé si souvent que tout son corps est couturé. Et quand il m'aide à empenner une flèche, je l'écoute avec bonheur me raconter l'histoire de chacune de ses cicatrices.

Quelques jours plus tard

Ce n'est pas ma faute si Mbandi est un véritable empoté. Je m'efforce de l'apprivoiser, de lui apprendre à courir, à lutter et à jeter la lance. Mais au lieu d'essayer, il pleurniche et s'enfuit.

– Mbandi a beau être le premier fils, il est stupide et lent, indigne d'être *ngola*, ai-je dit à la vieille Ajala qui m'accueille dans sa maison, située en face des portes de la ville.

– Quelqu'un doit se préparer à succéder à Kiluanji, dit-elle. Les ancêtres te sont favorables.

Après Njali, la personne que j'aime le plus est la vieille Ajala. Elle voit mieux de son unique œil valide que la plupart des gens avec leurs deux yeux. Elle connaît tous les secrets du monde, ceux de l'esprit suprême ainsi que le nom des ancêtres. C'est pourquoi chacun la consulte avant de partir en voyage, de se marier, d'avoir des enfants ou même de construire une maison. Elle bénit les enfants à leur naissance et quand les filles arrivent en âge d'être mariées, c'est elle qui s'occupe de la cérémonie des présentations. Elle fera de même avec moi, me dit Mère Kenjela.

Je marchais à peine quand ma mère m'a amenée auprès d'Ajala pour que celle-ci me prédise l'avenir.

Après m'avoir touché la tête, Ajala a dit à ma mère que je deviendrais chef des Mbundus.

– Aucune femme mbundue ne peut être *ngola*, s'est récriée ma mère.

– Jadis, les femmes gouvernaient les Mbundus, a répliqué Ajala. C'est seulement la volonté des hommes, et non celle des ancêtres qui les empêche d'exercer le pouvoir. La voix des ancêtres me dit que le Ndongo, la terre des Mbundus, sera bientôt gouverné par une femme.

Ma mère a gardé ces paroles dans son cœur. Quelques années plus tard, elle m'a envoyée auprès d'Ajala pour que celle-ci me prédise l'avenir une seconde fois. La prédiction n'avait pas changé. Depuis ce jour, Ajala m'enseigne, ainsi qu'à mes sœurs, les vertus des plantes et des herbes et le nom des ancêtres. Elle nous raconte les histoires sacrées qui accompagnent nos chefs depuis des générations.

– Vous pouvez perdre votre titre, votre pays, vos serviteurs, et même vos amis qui peuvent vous trahir mais votre *zai*, dit-elle en s'arrêtant pour me toucher la tête, votre savoir, vous ne le perdrez jamais.

Je garde en mémoire ce qu'Ajala m'a appris. C'est pourquoi, lorsque Mère Kenjela a obtenu que le prêtre me donne des leçons, j'ai presque protesté.

Que pouvait bien m'apprendre l'ennemi? Puis, je me suis souvenue des paroles d'Ajala: le *zai* reste toujours.

L'après-midi

*L*e père Giovanni m'a trouvée cachée près d'un arbre *wunzi* au bord de la rivière.

– Pourquoi n'es-tu pas venue à ta leçon? m'a-t-il demandé.

– Je préférais terminer mon arc avec Njali, ai-je répondu avec sincérité, ou bien que la vieille Ajala m'apprenne comment fabriquer une potion contre la fièvre.

Le prêtre a secoué la tête, l'air déçu.

– Je n'arrive pas à écrire des mots tous les jours dans le journal que vous m'avez donné, ai-je continué. À quoi servent ces pages d'écriture?

Il a eu un rire étouffé.

– Princesse Nzingha, grâce à leur journal, certaines personnes peuvent exprimer leurs pensées les plus intimes, noter leurs projets et leurs faits et gestes.

– Est-ce que le roi du Portugal tient un journal? ai-je demandé. Et le gouverneur de Luanda?

Le prêtre a haussé les épaules.

– Je ne sais pas. Probablement non. Seuls les prêtres et les gens très riches reçoivent une éducation au Portugal. Là-bas, on estimerait que tu es une jeune personne très privilégiée.

– Nous ne sommes pas au Portugal, ai-je répliqué, mais à Kabasa, capitale du peuple mbundu. Tout ce dont j'ai besoin se trouve ici. Je peux demander ce que je veux savoir à Ajala ou à Njali. Je n'ai pas besoin d'un journal. Papa Kiluanji en tient-il un ?

– Non, a répondu le père Giovanni mal à l'aise.

– Si mon père ne tient pas un journal, ces pages de mots n'ont aucune importance. Pourquoi continuer cette corvée qui ne sert à rien ?

Le père Giovanni pèse toujours ses mots. Il ne parle jamais sans avoir réfléchi — peut-être parce qu'il a été prisonnier de Papa Kiluanji qui a un caractère bien trempé.

– Réfléchis, Princesse Nzingha, a-t-il repris au bout d'un moment. (Il choisissait ses mots avec soin.) Un capitaine de vaisseau tient un journal de bord pour noter où est allée sa caravelle et ce qui est arrivé à bord. Le journal du capitaine Diogo Cão, écrit il y a plus d'un siècle, raconte comment les autres explorateurs ont découvert le Congo et les pays plus au sud, y compris ton pays le Ndongo.

Quel prodige ! Comme l'avait espéré le prêtre,

14

cette information m'a captivée. Nous nous sommes mis à discuter des diverses façons de faire un journal. C'était passionnant.

Et me voici dans le jardin, en train d'écrire dans la langue de notre pire ennemi. Et je le fais de bon gré. Si les mots ont un pouvoir magique, ils me serviront à préparer un plan pour chasser les Portugais de notre pays. Peut-être un jour, ces quelques pages apprendront-elles à d'autres que moi, Nzingha, première fille de Kiluanji, j'étais une Mbundue, de ce peuple libre et puissant qui n'eut pas peur de défendre notre bien aimé pays Ndongo, dans la vallée du fleuve Cuanza.

Plus tard, le même soir

*M*es sœurs ont réussi à trouver ma cachette. Kifunji n'a pu s'empêcher de me taquiner. Elle a éclaté d'un rire sonore :

– Écrire est bon pour toi, ma sœur. Te voir assise tranquillement est un plaisir rare. N'est-ce pas mieux que de s'exercer à la lance ou d'envoyer un garçon mordre la poussière ?

Mais Mukambu, ma première sœur, est de mon côté. Elle l'est toujours.

– Les pas de Nzingha sont plus grands que les nôtres, a-t-elle dit, rappelant ainsi à ma deuxième sœur que je suis l'aînée.

Nous sommes toutes les filles de Mère Kenjela et toutes différentes. La joyeuse Kifunji adore jouer et occuper ses mains. La tranquille Mukambu réfléchit. On me reproche d'être indépendante. C'est vrai, je préférerais être un oiseau dans le ciel plutôt qu'enfermée dans une *lukata*, une boîte.

Deuxième mois de mbangala, saison de l'herbe brûlée (août 1595)

J'apprends à écrire les mots sur du papier. Nous autres, Mbundus, envoyons des messages plus vite et plus loin grâce aux tam-tams. De village en village, les tambours nous ont appris que Papa Kiluanji et ses guerriers sont à quatre couchers de soleil de notre capitale. Ils campent au bord du fleuve Cuanza. Le *ngola* revient victorieux en ramenant de nombreux prisonniers. Les tam-tams disent encore que les Portugais ont été repoussés encore une fois. Jusqu'au fond de la mer, j'espère. Depuis ma naissance, je n'ai connu que la guerre... Je serais heureuse de connaître la paix, juste un moment.

Plus tard

*J*e viens de rendre visite à la vieille Ajala, avec mes sœurs. Elle nous a raconté la vie de notre mère. Tout en l'écoutant, nous occupions nos mains. J'ai confectionné un bracelet pour Mère Kenjela : elle le mettra le jour où le *ngola* reviendra. J'ai choisi soigneusement chaque coquillage en pensant à l'amour qu'elle nous porte. Ce bracelet raconte l'histoire de son existence, une chaîne d'événements tour à tour tristes et gais.

Le premier coquillage représente le village de la jeunesse de Kenjela, dans les collines du Nord. Les Portugais le brûlèrent et la capturèrent. Le deuxième rappelle que lors de sa captivité à Luanda, où elle devait être vendue comme esclave, Papa Kiluanji attaqua les Portugais et Mère Kenjela devint sa prisonnière. Le troisième coquillage raconte son séjour à Kabasa, où elle fut l'esclave de la mère du *ngola*. Ses parents lui manquaient mais la mère du *ngola* se montra bonne. Le quatrième coquillage représente Mère Kenjela qui était élégante et belle.

Elle dansait comme le vent qui ondoie entre les grands arbres. Sur la place du marché, elle portait de grands paniers sur la tête avec une grâce qui tournait les têtes et attira l'attention de guerriers, d'artisans et même d'un forgeron. Tous auraient fait de bons maris mais le cinquième coquillage symbolise Papa Kiluanji. Le jeune prince des Mbundus souhaitait la prendre pour femme mais il rencontra bien des obstacles.

— Tu es le descendant des grands chefs du Ndongo, hommes et femmes, observèrent ses parents. Un *ngola* ne peut épouser une étrangère.

À chaque obstacle, j'ai ajouté un coquillage.

— Elle n'est apparentée à aucun de nos ancêtres, dirent les conseillers royaux.

Ils traitèrent Kenjela de *jaga*, étrangère. Kiluanji, déterminé à la prendre pour fiancée, demanda à Ajala de l'aider. Pour figurer Ajala, j'ai utilisé un grand coquillage, très rare. Après avoir invoqué les esprits, elle bénit le mariage :

— C'est la volonté des ancêtres, dit-elle.

Qui aurait pu discuter ce point ?

Pour faire taire ses parents et ceux qui le critiquaient, Kiluanji épousa à la fois Kenjela et Kwumi. Kwumi, qui est mbundue, possède les ancêtres qu'exige la coutume. Même si, selon moi,

18

elle a le cœur d'un serpent à sonnettes, j'ai ajouté un coquillage à son intention et deux de plus pour Mbandi et moi. D'abord, Kenjela accoucha de moi, puis deux semaines plus tard, Kwumi donna naissance à Mbandi. Certes, je suis l'aînée mais Mbandi est un garçon. Kwumi est la première femme. Mais tout le monde sait que Kenjela est la préférée du *ngola*. J'ai ajouté deux coquillages, un pour Mukambu qui est née plus tard, un pour Kifunji, la petite dernière. Le bracelet est fini, mon histoire aussi.

J'ai presque treize ans. maintenant, je suis une femme qu'on peut demander en mariage. Pendant la moisson, je serai présentée en même temps que d'autres jeunes filles. Avant de me marier, je souhaite aller une fois à la chasse avec mon père. Mais c'est à peine s'il sait qu'il a une fille, d'ailleurs les anciens le lui interdiraient.

Plus tard, dans la nuit

Je suis sur la natte sur laquelle je dors la nuit. Mes sœurs sont endormies à mes côtés. Leur respiration est la mienne. Leur rire est mon rire. Je n'envisage pas la vie sans elle ni en dehors du Ndongo.

J'aime ce pays parce qu'il est bon pour les Mbundus. Les collines boisées et les vallées, la pluie et le soleil, et notre cher fleuve Cuanza sont les meilleurs alliés de mon père. La forêt chasse les intrus, en les mettant dans la confusion, en les effrayant, en les empêchant d'avancer. La pluie trempe les vallées et le soleil apporte la brume. Dans les brumes, il y a les fièvres qui attaquent nos ennemis avec la férocité du léopard. La lenteur trompeuse du fleuve Cuanza fait croire aux Portugais qu'ils peuvent naviguer jusqu'au Ndongo. Mais notre fleuve peut se mettre en colère, et balayer les conquérants dans des lames écumantes qui s'abattent dans les brumes. Le *ndele* ne peut soumettre ni la terre, ni le fleuve, ni le peuple car ils sont tous de même nature.

Le lendemain

*B*ientôt, Papa Kiluanji sera à Kabasa. Je me réjouis de le revoir mais ce qui ajoute à ma joie, c'est que je vais revoir mon ami Njali. Cela fait dix lunes que je n'ai pas chassé avec lui et que je n'ai pas tiré à l'arc. La ville bourdonne comme une ruche. À l'intérieur de l'enceinte royale, les serviteurs de la maisonnée se préparent, tout affairés, pour le retour du *ngola*. Mère Kenjela nous a envoyés ramasser des ignames avec les servantes. C'est le mets favori de Père. Mais Kifunji s'est plainte.

– La récolte, c'est bon pour les servantes. Moi, je suis une princesse.

Mère Kenjela a grondé gentiment Kifunji.

– Beaucoup de fillettes pourraient se plaindre comme toi. Faire la cueillette et s'occuper des champs est la besogne des femmes, une rude besogne de femmes mbundues.

Au lieu de se plaindre, ma sœur devrait s'enorgueillir que les femmes cultivent le millet, les haricots, les ignames, les radis et les bananes qu'elle mange. Il n'y a pas de honte à savoir comment se nourrir.

Mère Kenjela a enduré beaucoup de choses, pourtant ma sœur Kifunji est impatiente et ne supporte pas la moindre contrariété. Quand elle s'est piqué le doigt à l'épine d'une igname sauvage, elle a pleuré et gémi comme si un crocodile lui avait croqué la main. Mais comme Mukambu et moi sommes restées de marbre, elle s'est arrêtée. Nous avons éclaté de rire, ce qui l'a rendue furieuse.

– Vous avez des cœurs de pierre! Non, de fer, martelés par le forgeron royal! nous a-t-elle lancé.

– Quelle chance si nous sortions des mains d'un forgeron mbundu, avons-nous dit en riant de plus belle. Nous serions parfaites!

Même les perroquets savent que les forgerons sont les descendants des Premiers Hommes.

Quand elle s'est rendu compte de ce qu'elle avait dit, Kifunji s'est mise à rire de s'être montrée si sotte.

Le même soir

Mes sœurs et moi nous reposons les unes à côté des autres sur notre natte. Papa Kiluanji se rapproche. Les tam-tams nous ont appris qu'il a marché toute la journée, s'arrêtant en chemin pour saluer les fermiers et les bergers, ses sujets.

– Au début, ils lui ont résisté, a dit Mukambu. Maintenant, ils le vénèrent.

– Pourquoi? a demandé Kifunji.

Elle est jeune et j'ai dû lui expliquer que les Mbundus n'ont jamais accepté d'avoir un roi avant l'arrivée des Portugais. Chaque village était composé de clans — les familles étaient apparentées par les mères. Chaque clan avait un chef et c'était à lui que les villageois juraient fidélité. Notre peuple a uni ses forces avec le grand-père du grand-père de mon père: l'arrière-arrière-arrière-grand-père qui fut le premier *ngola* du Ndongo. L'union des clans s'avéra être une bonne chose.

J'avais vu neuf moissons — ai-je ajouté — lorsque le gouverneur du Portugal, Don Jeronimo, décida de s'emparer de nos mines de sel de Kisama. Notre allié Kafushe Kambare défendit les mines jusqu'à ce que Papa Kiluanji et ses guerriers arrivent pour finir le travail. Ce fut notre plus grande victoire sur les envahisseurs. Maintenant nous avons vaincu dom João Furtado de Mendonça qui a attaqué les Mbundus pendant la saison des pluies. Une telle sottise mérite la défaite.

J'adore raconter tous les détails de notre histoire. Mais cela a dû durer trop longtemps parce qu'à la fin, Mukambu et Kifunji dormaient profondément.

Au matin

Les tam-tams nous apprennent que les bergers et les fermiers ont quitté leur travail. Ils se sont mis en rang le long de la route qui mène à Kabasa pour chanter des prières et rendre hommage à l'armée triomphante.

Je suis née dans l'enceinte royale. À l'intérieur de ma cité fortifiée, derrière les portes de cuivre, je me sens en sécurité. De ma fenêtre, je vois la plus grande partie de la cité. Le soleil du matin se reflète dans le portail, et derrière celui-ci, je vois les collines vertes. Au-delà s'étendent les Eaux infinies.

J'ai sous les yeux les familières maisons au toit de chaume qu'habitent les artisans, les marchands, les soldats, les hôtes étrangers et les conseillers. Si je ferme les yeux, je vois les maisons bien alignées, environ une centaine, de chaque côté de l'allée centrale.

Cela m'enchante de voir les fleurs multicolores et les arbres qui poussent le long des sentiers ombragés, et les bassins frais où mes sœurs et moi jouons avec les autres enfants. Comme c'est moi l'aînée, je leur raconte des histoires et je leur apprends des jeux.

La cour royale où le *ngola* reçoit ses sujets est constamment décorée mais à présent elle est plus joyeuse que d'habitude. Des plumes de paon et d'oiseaux divers ornent les encadrements des portes. Je n'aime pas particulièrement décorer mais cette fois-ci, j'aide volontiers. Je préférerais aller à la chasse avec Mukambu et Njali. Kifunji pousse des cris perçants parce que selon elle, chasser ne convient pas à une princesse.

Attendre est pénible.

Mes sœurs et moi nous trouvons dans notre cour privée. Nous écoutons le chant mélodieux des oiseaux dont chacun essaie de surpasser les autres. Kifunji s'occupe d'une famille de singes qui vit dans notre dattier et Mukambu se régale d'entendre bavarder son perroquet, Ngula, ce qui signifie « cochon ». Nous lui avons donné ce nom parce qu'il peut imiter à la perfection le grognement du cochon. Chaque fois que nous sortons de l'enceinte, Ngula, perché sur l'épaule de Mukambu, hurle des insultes aux cochons, qui s'ébattent à bonne distance. Le petit perroquet arbore des plumes aux couleurs chatoyantes, tel un prince, mais en fait, il est malin comme un singe.

À l'autre bout du palais se trouvent les chambres des autres femmes et des concubines du *ngola*, qui sont au nombre de vingt, tous leurs enfants, leurs servantes et les enfants des servantes. Des éclats de bonheur, de jalousie, d'amour et de rivalité y résonnent. Je suis l'aînée des enfants du *ngola* qui en a trente en tout.

Ah, on vient d'entendre le premier cri d'un nouveau-né. À chaque nouvelle lune environ, un enfant royal naît dans l'enceinte.

L'après-midi

L'attente est trop longue. Mais que faire d'autre ? J'ai rempli de nombreuses pages, aujourd'hui, tout en attendant. Je ne savais pas que j'avais tant de mots en moi.

De là où je suis assise, je vois le couloir qui mène aux appartements de Papa Kiluanji. Bientôt, ils seront remplis de sa présence. Je n'ai jamais vu ses chambres mais j'ai demandé à Njali, à plusieurs reprises, de tout me décrire.

Papa Kiluanji possède une natte couverte d'une belle étoffe de palme lisse et douce. Ses armes et son armure sont disposées contre le mur ainsi que ses talismans et amulettes. Njali dit qu'il n'a pas beaucoup d'autres porte-bonheur et qu'il ne souhaite rien à l'exception d'un tabouret et d'une armoire. Il garde à l'intérieur de l'armoire ses affaires les plus chères. Personne, pas même Njali, ne les a vues.

J'imagine que si je regardais à l'intérieur de cette armoire, cela équivaudrait à scruter son cerveau pour découvrir ses pensées intimes. Est-ce que je suis de taille à savoir ce qu'il sait ? Est-ce que son *zai* remplirait ma tête au point de la faire éclater ? Je veux connaître mon père tout comme je veux qu'il me connaisse. C'est curieux mais mes sœurs ne partagent pas mes sentiments. Être juste ses filles leur suffit.

L'enceinte royale comprend des portes qui s'ouvrent à l'est et à l'ouest. Des gardes choisis tout spécialement, les Élus, les surveillent. Issus des clans royaux, ils sont prêts à donner leur vie pour sauver celles du *ngola* et de sa famille. Ils veillent sur nous, jour et nuit.

Atandi, l'un des Élus, me demandera sans doute en mariage quand j'aurais été présentée. Il vient d'un clan solide, fidèle à Papa Kiluanji. J'ai toujours vu Atandi à des cérémonies, des festivals et des rencontres officielles. Il a grandi dans les collines, loin de Kabasa. L'année dernière, il est venu dans la capitale pour apprendre le métier d'Élu, sous la direction de Njali. Tapie dans l'ombre, je l'ai regardé manier la lance et l'épée et j'ai été satisfaite de constater que c'est un habile guerrier, rapide et agile.

Je n'aurais pas supporté d'être liée à un homme maladroit.

Je souhaiterais le voir sourire davantage. Mes sœurs disent qu'il ne le peut pas parce qu'il montrerait ses dents de léopard. Elles me taquinent en me disant que c'est un vrai fauve et que la nuit de nos noces, il me dévorera tout entière. Quand je demande si c'est vrai à la vieille Ajala, elle secoue la tête et me dit :

– Ton destin n'est pas de devenir une épouse et une mère. Tu deviendras *ngola*.

Et elle ne m'en dit pas davantage. Si j'agissais de mon propre gré, je ne me marierais pas mais il est de mon devoir de princesse de m'y résoudre. Dans ce cas, je dois me préparer à me défendre, au cas où Atandi serait vraiment un léopard.

La nuit

Quand je n'arrive pas à dormir, comme cette nuit, je fais le guet avec les Élus chargés de veiller sur Kabasa en l'absence des guerriers.

Au matin

Au réveil, j'étais allongée sur ma natte. Une des sentinelles a dû m'y coucher après que je me suis endormie à mon poste hier soir. J'ai eu du mal à réprimer un frisson d'horreur. Si j'avais été un Élu et qu'on m'avait surpris en train de dormir pendant ma garde, j'aurais eu la tête tranchée.

Plus tard

Les tam-tams annoncent l'arrivée prochaine de Papa Kiluanji. J'ai donné à Mère Kenjela le bracelet que j'ai fabriqué avant de lui raconter l'histoire de chaque coquillage. Lorsqu'elle l'a noué autour de son poignet, son visage s'est éclairé comme la lune par une nuit sans nuages.

Puis Mère Kenjela nous a offert à chacune un bracelet de cheville orné des coquillages banda que l'on trouve sur le rivage. Celui de Kifunji avait deux rangs de coquillages. Ceux de Mukambu formaient un cercle parfait. Quant à mon bracelet, il était constitué d'un seul coquillage et de peau de chèvre tressée.

– Un seul car tu es unique, Nzingha, m'a dit Mère Kenjela.

Nous sommes allées attendre dans la grande cour l'heure du rassemblement. Pour tuer le temps, nous avons comparé nos nouveaux trésors. Brusquement, Mbandi, notre demi-frère, s'est précipité vers nous. Je suis plus âgée que lui de deux semaines, mais il ne manque jamais de me rappeler qu'il est le premier descendant mâle et que sa mère est la première femme du *ngola*.

Kifunji et moi partageons la même aversion pour notre frère. Nous ne tolérons sa présence que lorsque le devoir nous y contraint. Mukambu, qui n'est pas de notre avis, essaie toujours de lui trouver des excuses. C'est l'un des rares sujets qui nous opposent.

— Mbandi est un *lende*, un rat.

— Ce n'est qu'un jeune sot persuadé qu'il lui suffit de se pavaner tel un coq pour exister, proteste Mukambu. Mbandi mérite davantage la pitié que le mépris.

Mbandi n'a pas pris la peine de nous saluer.

— Je veux ton bracelet, Nzingha.

Comme il m'agrippait le bras, je lui ai donné un coup sur la tête en voulant me dégager. Je n'avais pas l'intention de le blesser. Il a poussé un hurlement aigu, pareil au cri du cochon, et Ngula le perroquet, en l'entendant crier, l'a imité. Nous avons toutes éclaté de rire tandis que Mbandi s'époumonait à la manière d'un hippopotame blessé. Comme toujours, sa mère, Kwumi, est arrivée en courant.

— Nzingha m'a frappé sans raison, a gémi Mbandi en se cachant le visage dans les mains.

J'ai tenté de m'expliquer :

— C'était un accident. Il a voulu...

Kwumi m'a coupé la parole d'un ton brutal.

— Ça suffit ! Nzingha, rien ne peut justifier ton comportement. Tu as passé l'âge de ces chamailleries. Le *ngola* l'apprendra dès son retour.

Tandis qu'elle s'éloignait au pas de course, en consolant Mbandi de ses maux imaginaires, elle m'a fait penser à un bâton, avec sa silhouette maigre et rigide. Son fils s'est retourné et a prononcé à voix basse le mot honni... *jaga*. Étrangère. J'ai eu envie de le rattraper pour le frapper à coups de poing.

Le père Giovanni m'a retenue par le bras.

— Mieux vaut pardonner, princesse. Ne prête pas attention aux provocations de ton frère. Tends l'autre joue à la colère.

Je me suis écartée du prêtre.

— Pardonne-lui, toi ! ai-je crié.

Devant un tel manque de respect, mes sœurs sont restées bouche bée. Il est interdit de hausser la voix devant un ancien, même si c'est un prisonnier. J'ai donc présenté mes excuses au père Giovanni.

Il les a acceptées de bonne grâce puis m'a tapoté gentiment la tête. Je me demande quelles pensées se cachent derrière le masque aimable qu'il porte à longueur de temps.

Plus tard dans l'après-midi

*L*es tam-tams résonnent de plus en plus fort. Papa Kiluanji est aux portes de la cité.

Le marché est fermé. Les cuisiniers ont préparé un festin somptueux qui nous attend à l'intérieur. Pour l'heure, les tisseuses reposent leurs mains. Les forgerons et leurs apprentis ont délaissé les forges. La famille royale, ses conseillers, serviteurs et esclaves sont rassemblés à l'entrée de la ville. Chacun garde sa place. Chaque chose est justement disposée.

J'ai le cœur gonflé de joie et d'orgueil. Le souvenir du retour victorieux de l'armée mbundue menée par mon père restera à jamais gravé dans ma mémoire. Car je l'ai vu de mes yeux.

Les membres de la famille royale sont placés en fonction de leur rang dans la grande cour. Nous attendons tous l'arrivée de mon père. Mes sœurs se tiennent à mes côtés, et notre mère est derrière nous. De là où je me trouve, je vois les portes de la cité grandes ouvertes. J'entends mon cœur battre la chamade. Non, en réalité c'est le bruit des tam-tams. Les musiciens royaux entrent les premiers dans la cité, cinq sur les côtés et trois au milieu. Le sol sous nos pieds tremble comme si un forgeron le frappait de son marteau.

Nous entendons au loin les tam-tams messagers annoncer aux quatre coins du pays que le *ngola* est de retour dans sa capitale et que tout va pour le mieux. Les musiciens sont suivis par des centaines d'archers, de guerriers armés de lances ou d'épées. Puis viennent les Élus du *ngola*, qui sont au nombre de cinquante. Chacun d'entre eux est censé valoir dix guerriers ordinaires. Njali se trouve à leur tête. Je reconnais le visage fermé d'Atandi dans leurs rangs. Il est plus maigre que dans mon souvenir.

– Ton futur époux a survécu, chuchote Mukambu. Il n'a pas fui pendant la bataille.

Je fais semblant de ne pas avoir entendu.

– Njali est rentré. Njali est rentré !

Kifunji se joint à mes cris. Njali passe devant nous, l'air farouche. Ses yeux sont cerclés de craie blanche et soulignés de rouge. C'est la coutume des guerriers imbangalas. Mais quand Njali m'aperçoit, ses traits s'éclairent d'un sourire imperceptible qui révèle sa bonté d'âme. Et bien que l'usage le réprouve, je romps les rangs pour déposer cinq cauris dans sa main à titre d'hommage. Puis je remercie les ancêtres d'avoir protégé son cœur des flèches portugaises.

Derrière les guerriers apparaît le *ngola*. Mon père.

Papa Kiluanji est debout sur un socle porté par quatorze hommes, cinq de chaque côté, deux devant, deux derrière. Les acclamations couvrent bientôt le bruit des tam-tams.

Sur son épaule, mon père a jeté la royale peau de léopard qui appartenait à son père et au père de ce dernier avant lui. Il tient dans sa main la lance ancestrale, deuxième symbole de son autorité, et il arbore un bracelet de fer, emblème de la lignée mbundue.

– Il a l'air épuisé, observe Mukambu.

Je partage cet avis. La petite Kifunji ne remarque rien. Elle s'est laissée gagner par l'euphorie de la procession et ne tient plus en place. Elle danse d'un pied sur l'autre en agitant les mains au-dessus de sa tête. Il émane d'elle une joie contagieuse et nous ne tardons pas à l'imiter, dansant, sautant et ondulant au rythme des tam-tams.

Derrière l'entourage royal se trouvent des dizaines de prisonniers entièrement nus et attachés les uns aux autres par la taille et les chevilles.

Une fois la procession parvenue aux portes de la cité, les tam-tams cessent, ainsi que les cris de joie et les danses. Les porteurs déposent le socle afin que Papa Kiluanji s'agenouille pour baiser le sol. Ce geste est salué par les acclamations de la foule.

Un serviteur apporte un siège en bois délicatement ouvragé, un autre grand symbole de l'autorité du *ngola*. Papa Kiluanji s'assied tandis que Mbandi vient se poster à sa gauche, la place du futur chef. Jamais mon frère ne m'a semblé aussi rondouillard, aussi empâté qu'aujourd'hui. Il n'est ni fort, ni alerte, ni courageux. Ni même intelligent. Kifunji me presse la main. Même elle s'est aperçue à quel point la majesté fait défaut à Mbandi. Comment Kwumi peut-elle admirer un tel fils?

Je ne peux pas m'empêcher de me demander ce que je ressentirais à la place de Mbandi. Je me tiendrais aussi droite qu'une lance et je ferais en sorte que Papa Kiluanji et Mère Kenjela soient fiers de moi.

Le soir

Comme j'étais trop excitée pour dormir, je suis retournée monter la garde avec les Élus. J'espérais tomber sur Atandi. Le bruit court qu'il s'est battu avec courage contre les Portugais, qu'il a gagné le respect de ses frères d'armes et en particulier du *ngola*. Mais j'ai aussi appris, la mort dans l'âme, qu'il est déjà reparti pour son village. Je ne le verrai pas. Peu importe : nous finirons bien par nous revoir un jour ou l'autre.

Comme d'habitude, je reste silencieuse. Je ne suis pas bête au point de bavarder avec les sentinelles pendant leur tour de garde. Mes yeux fouillent l'obscurité, à l'affût d'un danger éventuel tapi dans l'ombre. Je reste avec les Élus jusqu'à ce que la fatigue m'oblige à regagner ma natte. Mais je ne suis pas inquiète, non, je me sens soulagée. Papa Kiluanji a repoussé les Portugais. Notre terre est en sécurité pour le moment, et c'est la seule paix que je puisse espérer.

Troisième mois de mbangala, saison de l'herbe brûlée (septembre 1595)

*P*apa Kiluanji est rentré depuis plusieurs semaines et je n'ai pas eu l'occasion de lui parler depuis son retour victorieux. Tous les chefs de famille lui ont rendu hommage, ceux-là mêmes dont les clans se sont unis sous son commandement.

Quel plaisir de retrouver Njali! Nous passons notre temps à le harceler pour qu'il nous fasse le récit des batailles. Lorsqu'il nous raconte comment les archers ont encerclé les Portugais pour les attirer au cœur de la forêt, je suis là. Quand il décrit la façon dont ils ont piégé les intrus et les ont empêchés de s'échapper, c'est comme si j'y étais. Et quand il imite les Portugais, que la maladie fait tousser et transpirer avant de les emporter, je me représente toute la scène. Quand il écarte les bras pour nous donner une idée des étendues de terres reprises à l'ennemi, je prends part à la victoire. Et lorsqu'il a terminé, j'ai envie qu'il recommence, encore et encore. Mais j'aurais préféré voir tout cela de mes propres yeux, me trouver au cœur de la bataille et pousser un cri de guerre pour terrifier l'ennemi.

– Si je deviens *ngola*, je mènerai moi-même mes guerriers au combat, ai-je dit à mes sœurs.

– Aucun guerrier ne suivrait une femme ! s'est exclamée Kifunji.

– QUAND tu deviendras *ngola*, ma sœur, et non pas « si ». Ne t'inquiète pas, moi je te suivrai, m'a assuré Mukambu avec ferveur.

– Moi aussi, sans doute, a ajouté Kifunji. Mais seulement si tu perds la bataille et qu'il te faut un sauveur.

Quelques jours plus tard

Ce matin, je suis allée voir Njali pendant qu'il se limait les dents pour les rendre plus tranchantes. C'est une autre coutume du peuple imbangala. Njali est aussi grand que Papa Kiluanji et il possède la même vivacité. Mais sa tête et ses pieds sont plus larges. Ses dents pointues lui donnent l'air farouche même sans ses peintures de guerre.

– J'ai entendu dire que les Imbangalas tuent leurs enfants.

Njali a secoué la tête.

– Les Imbangalas sont peu nombreux comparés aux Mbundus. Nous devons donc passer notre vie à nous battre. Nous répandons des rumeurs terrifiantes à notre sujet. Apparemment, la ruse fonctionne, nous sommes craints et détestés. Nous ne tuons pas nos enfants, contrairement à ce que nous avons raconté aux Portugais. Nous les cachons au cœur de la brousse afin de nous déplacer plus vite.

– Njali, est-ce que ton peuple te manque ? Et ta famille ?

– Le *ngola* était mon maître. Il est devenu mon ami. Lorsque j'étais encore son esclave, il m'a laissé rentrer dans mon village pour épouser une Imbangala. Il m'a autorisé à garder foi en mes ancêtres, il a respecté mes coutumes et mes croyances. J'étais esclave, maintenant je suis un homme libre et le guerrier le mieux récompensé de l'armée du *ngola*. Je suis ici chez moi. Et vous êtes ma famille.

Tandis que nous bavardions, assis dans la cour calme et fraîche, je lui ai fait part de ma méfiance à l'égard du père Giovanni.

– Il ne m'a jamais donné aucune raison de le soupçonner, a répondu Njali. Mais puisque tu m'en parles, je garderai un œil sur lui.

La semaine suivante

Comme Kifunji avait disparu, je suis sortie la chercher dans la cour. Elle s'était installée à l'écart sous un prunier, agenouillée dans la position que nous avons souvent vue chez le père Giovanni : mains jointes, visage levé vers le ciel. Le prêtre lui aurait-il appris cet usage, et cela contre la volonté de mon père ? Je me suis éclipsée avant qu'elle ne me voie.

Lorsque j'ai raconté à Mukambu ce dont j'avais été témoin, elle a répondu que ce n'était pas grave, qu'il n'y avait pas là de quoi s'alarmer.

– Kifunji est comme Ngula le perroquet. Elle imite ce qu'elle voit.

À l'instar de Kifunji, Mukambu ne partage pas mon opinion au sujet du prêtre.

– Il m'est presque facile d'oublier qu'il est portugais, a-t-elle dit.

Je me suis emportée malgré moi :

– N'oublie jamais le visage de l'ennemi.

Quelques jours plus tard

*L*e père Giovanni a obtenu du *ngola* la permission de donner aux prisonniers portugais ce qu'il appelle le corps et le sang de leur ancêtre.

Quand j'ai demandé à la vieille Ajala le sens de ce rituel, elle a secoué ses perles et ses grelots aux quatre vents en récitant des incantations.

– J'ai déjà assisté à ce genre de cérémonie, a-t-elle dit. C'est de là que le prêtre tire son pouvoir pour le transmettre aux autres fidèles. Méfie-toi de lui.

Le prêtre utilise ce rituel pour donner aux prisonniers le pouvoir de... le pouvoir de quoi ? Pourquoi Papa Kiluanji accorde-t-il encore sa confiance à cet homme ?

Le lendemain matin

*J*e me sens aussi minuscule qu'une *mfite*, une fourmi. Je me suis ridiculisée devant mon père, ma mère, nos visiteurs, et même Mbandi et Kwumi.

Ce matin, comme chaque jour, Papa Kiluanji a rendu justice. Il venait d'arbitrer une querelle entre deux marchands lorsqu'il a demandé s'il y avait d'autres requêtes. À la surprise générale, je me suis avancée et j'ai demandé la permission de raconter une histoire. Quelqu'un — Mère Kenjela, je crois — a tenté de m'en dissuader car je n'ai pas encore été présentée à la cour : le *ngola* n'est donc pas tenu de m'écouter. Mais mon regard implorant est resté fixé sur lui.

– Nzingha ? Il m'a fait signe d'approcher. Je ne m'attendais pas à cela. Mais parle, je suis curieux de t'entendre.

La coutume mbundue veut que, pour critiquer le *ngola*, on ait recours à une histoire. J'ai donc pris la parole :

– Il était une fois un léopard *ngola* régnant sur un vaste empire qui s'étendait du levant au couchant. Il possédait une grande demeure et de nombreux serviteurs et guerriers qui obéissaient au moindre de ses ordres. Mais le léopard *ngola* avait aussi de puissantes ennemies, les hyènes. Ces dernières tendaient des pièges aux sujets du léopard *ngola* afin de les capturer et elles menaçaient d'envahir ses terres.

Le léopard combattit de toutes ses forces mais il avait de plus en plus de mal à repousser l'ennemi. Un jour, il ramena une esclave qu'il avait capturée. Il la laissa vivre parmi les siens et la chargea d'enseigner à son fils les usages des hyènes. Quelque temps plus tard, il fut attaqué et son royaume détruit car l'ennemi l'avait trahi, celui-là même qui avait gagné sa confiance.

Alors j'ai demandé :

– Quel est le sens de cette histoire ?

Et sans lui laisser le temps de répondre, j'ai repris en pointant un doigt accusateur vers le père Giovanni :

– C'est pure folie que de faire aveuglément confiance à l'ennemi.

Papa Kiluanji s'est levé, les yeux étincelants de colère.

– Petite impudente ! s'est-il écrié avec fureur. Je ne vais pas t'apprendre le proverbe mbundu : une souris qui offense un léopard doit s'assurer que son trou n'est pas loin.

Sur quoi j'ai répondu :

– Peut-être, Papa Kiluanji, mais il existe un autre proverbe qui dit : quand la tête du léopard se trouve à l'extrémité d'un pieu, nul ne craint son rugissement.

À peine avais-je prononcé ces paroles, j'ai su que j'avais commis une grossière erreur. Mais je me suis tenue bien droite et j'ai dissimulé ma peur. En voulant attirer l'attention de mon père, je m'étais mise dans l'embarras.

Mukambu s'est avancée et a pris place à mes côtés :

– Je suis de l'avis de Nzingha, ma sœur.

Kifunji s'est glissée entre nous deux et nous a prises par la main.

– Moi aussi.

Nous devions offrir un spectacle bien risible, avec Ngula le perroquet, perché sur les épaules de Mukambu, qui poussait des grognements de cochon.

Des rires ont parcouru l'assistance, d'abord étouffés, puis ils ont franchement tinté à mes oreilles. Mais le *ngola* restait de marbre. Qu'allait-il advenir de nous ?

– Dans ton histoire, tu accuses le père Giovanni, a-t-il dit. Peux-tu prouver qu'il n'est pas digne de ma confiance ?

J'avais exprimé tout haut mes soupçons sans toutefois préciser que le prêtre s'occupait en secret de notre éducation, par peur d'attirer des ennuis à Mère Kenjela. Il m'apparaissait clairement que je n'avais pas la moindre preuve de sa culpabilité.

– Et tu condamnerais un homme à mort en t'appuyant uniquement sur un soupçon ?

Papa Kiluanji tremblait de rage.

– Tu es une idiote qui déshonore sa mère, offense son père et donne un bien piètre exemple à ses frères et sœurs.

Je me suis tournée vers ma mère dont les yeux exprimaient un mélange d'amour et de déception. Kwumi, quant à elle, exultait comme si elle venait de déterrer un trésor. Papa Kiluanji m'a renvoyée auprès d'elle, car selon les usages de la cour, c'est la première femme qui doit punir les enfants royaux.

– Femme, a-t-elle dit en montrant du doigt Mère Kenjela. Emmène tes filles. En punition de leur stupidité, elles n'auront pas le droit de paraître à la cour pendant quatre pleines lunes.

Mère Kenjela nous a emmenées, l'air honteux. Moi qui espérais obtenir ainsi le respect et la reconnaissance de mon père, je n'ai réussi qu'à détériorer nos relations. En m'éloignant, j'ai entendu Mbandi ricaner et des murmures s'élever parmi la foule :

– Que peut-on attendre d'autre de la part d'une *jaga* ?

J'ai semé une belle pagaille.

L'après-midi

*U*ne fois dans nos quartiers privés, Mère Kenjela s'est montrée aussi furieuse que Papa Kiluanji. Elle nous a vivement réprimandées.

– Nzingha, ton franc-parler te perdra.

Au bord des larmes, mais trop fière pour pleurer, j'ai réussi à répondre :

– Je voulais seulement me faire reconnaître de Papa Kiluanji.

– Comment veux-tu devenir un chef respecté si tu agis de manière aussi égoïste ? Tu t'es ridiculisée devant toute la cour sans parvenir à gagner l'approbation de ton père.

– Et vous autres, a-t-elle ajouté en se tournant vers Mukambu et Kifunji, vous avez été aussi sottes que votre sœur en la confortant dans ses torts.

Puis, se tournant à nouveau vers moi, elle a conclu :

– Nzingha, tu sais bien que tes sœurs te suivraient jusque dans la mort, tu dois donc te conduire en personne responsable. Ne te laisse pas gouverner par tes propres intérêts, sinon tout est perdu.

Je n'ai pensé qu'à moi et aux bénéfices que je retirerais en démasquant un traître. J'ai peut-être eu tort dans ma façon de m'y prendre, mais je reste persuadée que le père Giovanni, étant portugais, n'est pas digne de confiance.

Je n'avais aucune envie d'étudier mais Mère Kenjela a insisté pour que nous allions présenter nos excuses au père Giovanni. Nous nous sommes exécutées et il nous a pardonné :

– Cela vous paraît difficile à comprendre mais bien qu'étant portugais, je ne suis pas votre ennemi. Je suis un homme de Dieu et non un guerrier. Je ne suis pas contre vous, j'essaie d'aider le *ngola* autant qu'il m'est possible.

– Tu es portugais, ai-je répondu. Pourtant tu prétends que tu veux aider mon père. Cela fait de toi un traître parmi les tiens. Je n'aiderais jamais mes ennemis, quelles que soient les circonstances.

Une fois de plus, Mukambu et Kifunji ont été choquées par ma conduite. Mais je me moque bien de ce que pense le prêtre. Une seule chose me préoccupe, est-ce que Papa Kiluanji me pardonnera un jour ? Je suis allée trouver mon ami Njali. Il a promis de m'obtenir un entretien privé avec le *ngola*. Demain. Demain je lui présenterai mes excuses.

Le lendemain soir

Njali est venu me voir tôt ce matin. Le *ngola* se rend tous les jours seul à la rivière afin de méditer. Nous nous sommes arrangés pour que je le retrouve là-bas.

Combien de fois ai-je suivi Papa Kiluanji jusqu'à la rivière ? Combien de fois l'ai-je regardé s'asseoir à même le sol pour réfléchir, tantôt souriant à un souvenir, tantôt chantant avec le vent ? Et combien de fois, après son départ, me suis-je glissée à l'endroit où il s'était assis, là où le sol était encore chaud ? Combien de fois, dans mes rêves, avons-nous parlé de stratégies et de plans de bataille ? Et voilà que le rêve devenait réalité.

Une fois devant le *ngola*, je suis tombée à genoux pour implorer son pardon :

– Papa Kiluanji, je voulais seulement t'aider et non t'offenser. Je t'ai manqué de respect et j'en suis sincèrement désolée.

Un long silence s'est installé.

Mes paroles avaient dû toucher le cœur du *ngola* car il m'a répondu avec douceur :

– Lève-toi, Nzingha. Ta tentative était courageuse, voire audacieuse, étant donné la manière dont tu m'as tenu tête. Mais tu dois apprendre à faire la différence entre le courage et la désobéissance.

Mon père ne m'avait jamais parlé ainsi. J'ai bu ses paroles comme un jus de banane bien sucré. Si j'avais pu, j'aurais arrêté la course du soleil afin que notre conversation ne finisse jamais.

– Hier encore, tu n'étais qu'un bébé. Et te voilà presque une femme.

– Je croyais que tu m'avais oubliée.

Il a ri, la tête renversée en arrière, avant de répondre :

– Tu es ma première née. T'oublier ? Jamais.

Il s'est installé dans une position confortable. La forêt bruissait. Lorsque je contemplais mon reflet dans la surface lisse des bassins de la cour, je voyais à quel point je ressemblais à mon père. Je ne suis pas aussi belle que ma mère mais j'ai hérité de ses épaules solides. J'ai les yeux de mon père, j'ai son nez, son rire, son caractère. Nous sommes semblables à bien des égards, mais il est un homme et je suis une femme.

– À ta naissance, a-t-il poursuivi, ton cordon ombilical t'étranglait. La plupart des bébés n'y survivent pas. Mais tu t'es battue contre la mort et tu as mérité le droit de vivre. C'est pourquoi tu t'appelles Nzingha, qui signifie « entrelacée », comme la liane qui s'enroule autour des branches de l'arbre.

J'avais entendu cette histoire des centaines de fois mais jamais de la bouche de mon père.

Soudain, il s'est levé.

– Quand la vieille Ajala t'a amenée, j'ai su que tu étais unique. Tu l'es restée et je veillerai sur toi, ainsi que sur tes sœurs. J'admire votre loyauté les unes envers les autres. Guide-les bien, Nzingha.

Sur ce, il est parti.

49

Mieux vaut être gai que triste. Nous autres Mbundus aimons beaucoup ce proverbe. Il n'en existe pas de plus vrai.

Pleine lune

Cette nuit, c'est la pleine lune. Elle éclaire la forêt et chasse les peurs. La danse et la nourriture, qui sont toujours les bienvenues dans les foyers mbundus, le sont tout particulièrement lorsque la lune est grosse, ronde et brillante.

Partout, les conteurs sont invités à des festins où on leur demande de raconter les vieilles, très vieilles histoires des ancêtres qui nous ont transmis les usages.

C'est l'occasion pour les familles de se rendre visite, de manger ensemble et de danser mais malheureusement, mes sœurs et moi-même sommes toujours bannies de la cour, nous n'assisterons donc pas aux réjouissances en l'honneur de cette pleine lune. C'est la petite Kifunji qui en souffre le plus parce qu'elle adore danser et virevolter, encore et encore.

Plus tard

–Pourquoi n'êtes-vous pas prêtes ? a demandé Mère Kenjela d'un ton désapprobateur. Vous allez être en retard pour l'histoire du conteur royal.

– Mais nous sommes bannies de la cour, a répondu tristement Kifunji.

Alors Mère Kenjela nous a raconté que quelqu'un avait plaidé notre cause auprès du *ngola* et que ce dernier nous avait pardonné. Nous pouvions donc aller écouter le conteur royal.

– Njali ! me suis-je écriée. C'est sans doute lui qui nous a aidées.

Mais d'après Mère Kenjela, c'est le père Giovanni qui a parlé pour nous.

Je ne peux m'empêcher de m'interroger : pourquoi me vient-il en aide, sachant que je ne lui fais pas confiance ?

Quelques semaines plus tard

Les tam-tams ont annoncé l'arrivée d'un visiteur de grand renom. Njali m'a déniché un endroit à la cour, d'où je pourrai tout voir et tout entendre. Mes sœurs m'ont suivie, comme d'habitude.

Père a reçu Azeze, un messager des clans mbundus du sud. Ils se sont unis sous l'égide d'un seul *ngola*. Azeze semblait à peine plus âgé que moi. Il portait une peau de léopard drapée avec grâce ainsi que des plumes, symboles de son haut rang. Sa peau était noire comme la nuit et sa longue chevelure rougie avec de la boue et ornée de coquillages attestait de sa richesse. Lorsqu'Azeze parlait, il avait des manières royales et ses yeux en amande étaient vifs et brillants. On comprenait aisément pourquoi, malgré son jeune âge, il avait été désigné pour transmettre un message de son *ngola* : il ne pouvait s'agir que d'un prince.

De son trône, Papa Kiluanji surplombe ses invités. Quiconque se présente devant lui doit s'asseoir sur le sol ou rester debout. Quand le prince Azeze a compris qu'on ne lui offrirait pas de siège, il a fait venir un de ses serviteurs qui s'est agenouillé pour lui servir de banc. Ce spectacle m'a beaucoup impressionnée. Par ce moyen, le prince Azeze voulait signifier à mon père qu'il ne négocierait avec lui que sur un pied d'égalité.

Assis sur le dos de son serviteur, le prince Azeze a déclaré que son père avait pris la décision de rassembler les clans sous son autorité, avec Papa Kiluanji comme chef militaire. Papa Kiluanji a reconnu que c'était une idée judicieuse. Puis il a proposé à Azeze de séjourner chez nous quelque temps. Je n'ai pas pu m'empêcher d'admirer Azeze et son allure de roi. J'ignore pourquoi mon cœur se réjouit autant à l'idée qu'il reste avec nous.

Le lendemain

Ce matin, je suis sortie chercher des termites, un mets de roi, avec mes sœurs et la vieille Ajala. Malgré nos protestations, Mukambu a tenu à emmener son bruyant perroquet, Ngula.

Soucieuse de nous prémunir contre l'éventuelle arrivée d'une horde d'hyènes, j'ai gardé mon arc à la main, prête à m'en servir. Avant que le soleil ne soit haut dans le ciel, nous avions trouvé une termitière aussi haute que trois guerriers perchés les uns sur les autres. Comme Mukambu m'aidait à la vider de son contenu, j'ai entendu un bruit dans les buissons. J'ai fait volte-face, imitée par nos gardes.

En effet, quelque chose nous observait, tapi dans les buissons. Les cris de Ngula avaient attiré jusqu'à nous un léopard affamé, amateur de viande de porc. Au moment où je détectais un mouvement à ma droite, le léopard avait surgi à ma gauche. Azeze est apparu comme par enchantement et a jeté sa lance sur le fauve. Nous avons vite baissé nos arcs. Mais il était trop tard pour la femelle léopard qui gisait, morte, à nos pieds. Son petit était encore en vie. Il a surgi du buisson avec une maladresse comique. Sans le savoir, il avait causé la mort de sa mère.

– D'où viens-tu? a demandé Kifunji à Azeze.

– J'étais sorti chasser avec quelques hommes quand je vous ai aperçues. Mais apparemment, vous n'aviez pas besoin d'aide, princesses. Vous êtes capables de vous défendre seules.

– Comment sais-tu que nous sommes des princesses? a demandé Mukambu.

– Je vous ai vues à la cour, pendant l'histoire du conteur royal, et je me suis renseigné sur vous, sur toi en particulier, Nzingha.

Moi? Qui voudrait savoir qui je suis? J'étais encore sous le choc de ce qui venait de se produire. J'ai répondu à Azeze que s'il avait pris la peine de réfléchir, il n'aurait pas tué la mère léopard. Elle ne nous aurait jamais attaquées si ce n'est pour défendre son petit.

– Je n'ai pas eu le temps d'y réfléchir, a-t-il expliqué, l'air abasourdi.

Comment pouvais-je me montrer aussi grossière à son égard?

– On a toujours le temps de réfléchir, ai-je répondu en lui tournant le dos.

Je savais que le petit léopard mourrait, lui aussi, à moins que l'un de nous ne se dévoue pour s'en occuper.

Peu après, mes sœurs ont eu des mots très durs :

– Ce que tu peux être méchante et mal élevée, par moments ! s'est indignée Kifunji.

– Nzingha, Azeze nous a sauvé la vie. Le léopard venait droit sur nous. Où avais-tu la tête quand tu lui as parlé ? a ajouté Mukambu.

Je n'ai jamais eu aussi honte de toute ma vie. Azeze essayait seulement de nous aider. Mais je me refuse à l'admettre devant mes sœurs, sans parler du fait que je trouve Azeze très beau.

Mère Kenjela a eu un petit rire quand je lui ai répété ce que j'avais dit au prince invité.

– Parfois, le cœur voit avant les yeux, a-t-elle observé.

Après maintes supplications, Ajala a consenti à s'occuper du petit léopard jusqu'à ce qu'il soit en âge de retourner dans la brousse. Mais elle nous a prévenues : elle seule l'approchera. Ajala sait s'y prendre avec les animaux. Elle leur parle et ils lui répondent.

Ce soir nous avons mangé notre content de termites grillés.

Quatrième mois de mbangala, saison de la récolte (octobre 1595)

J'ai baptisé le petit léopard Pange, ce qui signifie « frère ». La vieille Ajala l'a installé à proximité de la brousse. Il ne faut pas qu'il s'habitue trop aux humains. C'est un léopard, après tout. Ce n'est pas naturel pour lui de vivre parmi les hommes. S'il n'apprend pas à chasser, il mourra dans la forêt.

Jour de marché

Mère Kenjela prépare ma danse de majorité. À cette occasion, elle nous a emmenées au marché. De tous les endroits de Kabasa, c'est le marché que je préfère. On y trouve tout, du bijou de cuivre au gros serpent. J'adore les bijoux mais je ne peux pas en dire autant des serpents.

La cité grouille de monde, pour la plupart des fermiers et des marchands venus des quatre coins de la région pour participer à la grande fête de la récolte. Bien que les Portugais bloquent la circulation des marchandises en provenance de la mer, je suis ravie de constater qu'ils n'ont pas pu arrêter les marchands tchokwés descendus des montagnes de l'est pour faire du commerce à Kabasa. Le marché est plus bondé que jamais, entre les fermiers qui ont apporté leurs produits agricoles et les artisans qui exposent fièrement le fruit de leur travail.

Les cris et les piaillements se mêlent aux conversations. Des tissus aux couleurs vives rivalisent avec la beauté de la nature. Le parfum des épices me chatouille le nez, me donne envie de rire et d'éternuer tout à la fois. J'aime l'odeur de la viande d'hippopotame fumée qui pend des étals, enroulée dans de l'écorce tressée. On trouve aussi des paniers, des poteries, du linge, du poisson, des fruits, des épices, des paons et autres volatiles, des légumes, du bétail et des esclaves.

Dans un recoin du marché, sous un auvent d'écorce tressée, nous retrouvons la vieille Ajala qui vend ses fétiches et ses baumes. Elle est célèbre pour son *azewe*, un remède à base de feuilles soigneusement sélectionnées, de craie et de boue mélangées à du vin de palme. Il n'y a rien de tel pour soigner les brûlures d'estomac ou encore stopper les effets d'un poison. Il suffit d'une bonne gorgée de ce remède pour expulser tout ce qui peut nuire à l'estomac.

Qui peut repartir d'un tel endroit avec les mains vides ? J'ai déniché une magnifique peau de zèbre des montagnes striée de brun et de jaune. Je compte m'en faire un carquois. Kifunji s'est acheté des boucles d'oreilles et Mukambu une pièce de tissu à son goût.

Mère Kenjela possède des esclaves trop heureux de la servir mais elle préfère porter elle-même son panier. Elle le remplit de manioc, de gros haricots blancs, d'un éventail de feuilles de palmier, de viande de chèvre fumée et de bananes. Mère Kenjela porte le panier sur sa tête. Quant à Mukambu et moi, nous sommes obligées de porter notre panier à la main, de peur de le renverser.

– Tenez-vous droites, nous conseille gentiment Mère Kenjela. Tournez vos pieds vers l'extérieur et balancez vos hanches en rythme. Ainsi, vous trouverez votre équilibre. Allez, faites comme moi.

Nous avons suivi son conseil et effectivement, c'est efficace. Mère Kenjela a entonné une chanson idiote sur le trajet :

Corbeau, corbeau
Tes plumes, est-ce qu'elles brillent ?

Car il nous faut les vendre.
Cha ta, cha ta, cha ta
Cha ta ta ta.

Femme, femme,
Mes plumes ne sont pas à vendre.
Cha ta, cha ta, cha ta
Cha ta ta.

À la pleine lune suivante

Mère Kenjela m'a coiffée en prévision de ma danse de majorité. Chaque tresse de mes cheveux se termine par un coquillage. Plus tard, je prendrai place parmi les femmes et j'aurai le droit de me marier. Lorsque j'aurai été présentée à la cour, un oncle de mon prétendant ira s'entretenir avec mon père. Tous deux s'accorderont sur le prix à payer. Comme je suis une princesse, mon père exigera un prix très élevé — peut-être cinquante chèvres, des vêtements et des armes. Selon la coutume, le mari rentrera chez lui préparer l'arrivée de sa femme. Ensuite, après la cérémonie qui comprend des réjouissances et des sacrifices en l'honneur des ancêtres, le mari viendra chercher son épouse.

Mukambu a l'air triste. Elle me dit que je vais lui manquer.

– Tu resteras ma sœur, lui dis-je.

Elle sourit :

– Sois heureuse.

– Atandi ne viendra peut-être pas te chercher, ajoute Kifunji.

Elle adore me taquiner.

Mère Kenjela m'attache un bracelet autour de la cheville. Elle l'a fabriqué elle-même avec des plumes et de la peau de zèbre.

– Te voilà prête, ma fille. Tu es courageuse, intelligente et forte. Va, maintenant. Danse, mon bel oiseau.

Plus tard, tandis que je dansais au son des tam-tams, les musiciens transmettaient le message suivant :

« Moi, Nzingha, princesse du peuple mbundu du Ndongo, j'ai atteint la majorité. »

Les bras levés vers les étoiles, j'ai virevolté encore et encore sous le regard fier de mon père et de ma mère. Même le père Giovanni était présent.

Plus tard

Quel moment merveilleux! Les tam-tams résonnent encore dans ma tête et je repense aux montagnes de nourriture préparées pour l'occasion. Pour la première fois, je ne porte pas mon arc à l'épaule.

Atandi, d'ordinaire si sérieux, a réussi à grimacer un semblant de sourire. J'ai essayé d'entrevoir ses dents de léopard mais sans succès.

Azeze, quant à lui, souriait de toutes ses dents.

– Tu feras une parfaite princesse-chasseresse, a-t-il dit.

– Tu ne désapprouves donc pas les princesses qui chassent?

– Pas quand elles sont intelligentes et fortes.

– Et que fais-tu de leur beauté et de leur grâce?

– Je te trouve étonnante, Nzingha, a-t-il répondu en riant.

– Comment dois-je prendre cette remarque? Bien ou mal?

– Très bien.

Azeze doit avoir une bien mauvaise opinion de moi, s'il s'en tient à la façon dont je lui parle — lui, un homme que je connais à peine. Je dois être possédée par un esprit qui m'a volé la raison. Que penserait Atandi si je m'adressais à lui de la sorte? Je ne le saurai jamais car il est peu probable qu'il me tienne les mêmes propos qu'Azeze.

Pour couronner le tout, mes sœurs ont surpris notre conversation et depuis, elles ne cessent de me taquiner.

Les prémices de la saison des pluies

Lorsque les gros insectes noirs arrivent en bourdonnant, la saison des pluies n'est pas loin. Ils viennent voler au-dessus de la nourriture, s'insinuent dans les cheveux et les vêtements. Heureusement, ces insectes-là ne piquent pas.

Janvier 1596, saison des pluies

Je ne suis plus une enfant mais je n'ai pas pour autant l'impression d'être une femme.

Azeze est rentré chez lui. J'en suis soulagée, car je ne suis plus moi-même quand il est dans les parages. Et cela me trouble. J'en ai presque oublié mon vœu le plus cher, chasser aux côtés de mon père avant de me marier. J'aimerais sentir à nouveau le contact de mon arc contre mon épaule. Si seulement je pouvais le garder encore un peu, cette fois, je saurais en profiter ! Peut-être que le temps viendra d'aller chasser avec Papa Kiluanji. J'ai parlé de mon souhait à Njali. Il m'aidera s'il le peut, j'en suis certaine.

Le père Giovanni nous apprend la méthode étrange qu'utilisent les Portugais pour mesurer le temps qui passe. Sept jours forment une semaine. Les semaines deviennent des mois. Douze mois équivalent à une année. Aujourd'hui débute janvier, le premier mois de l'an 1596. Tout cela me paraît bien compliqué. Nous les Mbundus, nous avons le jour. Nous avons la nuit. La saison des semailles. La saison des récoltes. Les phases de la lune. À quoi me servent les semaines, les mois et les années ?

Mais il me faut bien l'admettre, le père Giovanni avait raison. J'aime écrire dans mon livre de mots. Peut-être qu'en les utilisant plus souvent, j'aurai plus de facilités avec les noms des jours, des semaines, des mois et des années.

Première semaine de janvier

Tous les princes et princesses se sont rassemblés dans la cour pour entendre un enseignement de la bouche du conteur royal. Mais avant la fin du conte,

Papa Kiluanji a envoyé chercher Mbandi en vue de la chasse.

Immédiatement, ce dernier s'est mis à pleurnicher et s'est plaint de douleurs à l'estomac. J'étais sûre qu'il faisait semblant, aussi ai-je suggéré qu'il avale le remède *azewe* de la vieille Ajala. Mbandi s'est ravisé sur le champ, prétextant que c'était son bras — celui qui tend l'arc — qui le faisait souffrir et non son estomac. Quel imbécile ! Il déteste la chasse.

Njali nous a fait signe de le suivre.

– Pas moi, a protesté Kifunji. Je veux entendre la fin de l'histoire.

Mukambu et moi nous sommes levées d'un bond.

– Je peux peut-être vous aider, a dit Njali en nous menant à une clairière. Puis il nous a ordonné de nous entraîner à l'arc le temps qu'il aille chercher le *ngola*. Ce dernier croirait que notre rencontre n'était que le fruit du hasard. Njali est très astucieux.

Bientôt j'ai entendu un bruit de pas. J'ai atteint ma cible et la flèche de Mukambu s'est plantée si près de la mienne qu'elles auraient presque pu se confondre.

– Qu'est-ce que je vois ? s'est écrié Papa Kiluanji en entrant dans la clairière. Ces deux-là feraient rougir bon nombre de mes archers. Et dire qu'il s'agit de mes filles, a-t-il repris en souriant. Qui vous a si bien enseigné le tir à l'arc ?

– Njali ! avons-nous répondu en chœur.

Papa Kiluanji, hochant la tête d'un air approbateur, nous a expliqué que les femmes imbangalas étaient de grands archers et que Njali nous avait appris selon leur tradition. Comme il se détournait pour partir, j'ai demandé à lui parler.

– Demain, à mon retour de la chasse, je te convoquerai, a-t-il déclaré.

– Pourquoi ne pouvons-nous pas t'accompagner à la chasse ? ai-je demandé.

Mukambu m'a dévisagée, bouche bée. Je savais ce qu'elle pensait. Une fois de plus, j'avais parlé trop vite. J'ai fermé les yeux, sans savoir à quoi m'attendre.

Quelques hommes ont grommelé que jamais femme mbundue ne les accompagnait à la chasse. Comme toujours, Papa Kiluanji a écouté tous les conseils avant de prendre sa décision.

– Autrefois, les femmes mbundues chassaient avec les hommes, a-t-il dit. Il est temps de réintroduire cette coutume. Désormais, mes filles viendront avec nous.

Et après tant d'années à attendre, j'ai enfin réalisé mon souhait.

Deuxième semaine de janvier

Les choses ont bien changé depuis que je suis allée chasser avec Papa Kiluanji. Il passe plus de temps avec nous que jamais auparavant. Ce matin même, il s'est entretenu avec le père Giovanni. Nous aurons bientôt le droit de suivre les mêmes leçons que Mbandi.

— Maintenant vous n'êtes plus obligées d'étudier en cachette, nous a dit Papa Kiluanji en échangeant un sourire avec Mère Kenjela.

— Tu savais donc depuis le début que le père Giovanni nous donnait des leçons ? ai-je demandé.

— Je ne resterais pas bien longtemps *ngola* si j'ignorais ce qui se passe sous mon propre toit.

— C'est Njali qui te l'a dit, n'est-ce pas ? Il se montre toujours si loyal envers toi !

— Non, c'est le père Giovanni qui m'en a parlé.

Je ne comprends décidément rien à ce prêtre. Me serais-je donc fourvoyée à ce point sur son compte ?

Février, deuxième mois de l'an 1596

*I*l pleut depuis des jours et des jours. Même lorsqu'il ne pleut pas, l'air est chargé d'humidité. Les nuits sont si chaudes qu'on a du mal à respirer. La pluie charrie les fièvres qui emportent des vies. Les temps sont durs, en particulier pour les vieillards et les petits enfants. Mère Kenjela, comme toute bonne mère, nous protège avec des amulettes et des herbes magiques.

Qu'il pleuve ou non, les hommes mbundus doivent aller chasser. Je les accompagne aussi souvent que possible et j'apprécie chaque minute passée dans la forêt. Ceux qui, les premiers temps, supportaient mal ma présence, sont maintenant parmi les premiers à remarquer mes absences.

Papa Kiluanji est enchanté de mon habileté. Nous avons tué des crocodiles, des oiseaux et bien d'autres animaux. Ce matin même, nous avons tué un hippopotame. Une fois l'animal dépecé, j'ai eu droit à une de ses dents. Je la réduirai en poudre : la vieille Ajala prétend que c'est un moyen d'éloigner les mauvaises fièvres qui volent la vie des hommes pendant leur sommeil. Décidément, cette partie de chasse avec mon père s'est déroulée au-delà de mes espérances.

Mars, troisième mois de l'an 1596

Les pluies se sont arrêtées et la forêt revit. Ma fleur préférée est la fleur de lune, qui s'épanouit à la nuit tombée. Autour de nous, c'est une débauche de couleurs et de bruits. Ici, la main humaine ne peut rivaliser avec l'œuvre de Mère Nature. Mais malgré toute cette beauté, la menace portugaise est tapie dans l'ombre.

Des marchands venus du nord nous ont avertis que de petites troupes d'hommes en armes sont entrées au Ndongo. Ils ont incendié un village mbundu et capturent les voyageurs à nos frontières. Papa Kiluanji, qui ne peut tolérer ces intrusions sur son territoire, a nommé Njali à la tête d'un groupe de guerriers mbundus censés attaquer un *presidio*, c'est-à-dire un fort portugais, situé sur la rivière Cuanza, juste au-dessus des chutes. Les Portugais finiront par trouver un moyen de pénétrer dans les terres du Ndongo au-delà de la grande forêt, ce n'est qu'une question de temps. Seuls les Mbundus peuvent encore les arrêter.

Quelques semaines plus tard

Njali est de retour. Il y a deux jours, les tam-tams nous ont annoncé qu'il revenait victorieux. Le *presidio* a été détruit et de nombreux marchands d'esclaves ont été capturés. Qui peut rivaliser avec les guerriers mbundus ? Mais notre vieil ami a bien changé, semble-t-il. Il s'enferme dans le silence et s'isole pendant de longues périodes. Il ne passe plus beaucoup de temps avec nous. Je me demande ce qui a bien pu lui arriver.

Plus tard

Après mes leçons avec le père Giovanni, je me suis empressée d'aller retrouver la vieille Ajala et le petit léopard, Pange.

Il reste dans la brousse, à l'écart des hommes. Seule Ajala peut l'approcher. Nous lui donnons chaque jour de la viande fraîche. Moi-même, je ne touche pas Pange et je ne joue pas avec lui, même si cela me coûte. Je veux qu'il reste dans la forêt, c'est à elle qu'il appartient.

– C'est un léopard, et il est dans sa nature de se promener en liberté, ai-je expliqué à Kifunji qui voulait lui caresser le cou. Dès qu'il sera assez grand, Ajala le laissera chasser tout seul. Mais dans l'immédiat, je comprends qu'on soit tenté d'étreindre une si belle créature.

Le lendemain

Maintenant que la saison des pluies est terminée, les habitants de Kabasa s'emploient à réparer leur case et à remettre du raphia sur leur toit. Les lianes qui envahissaient les chemins ont été coupées pour permettre aux nouvelles de croître. On attache çà et là des plumes neuves. C'est la belle saison. La pluie a cessé et une vie nouvelle surgit du sol.

Sur la place du marché, les femmes transportent leurs nouveau-nés dans des peaux de bêtes qui ont des propriétés magiques. Elles savent que si les esprits des brumes se mettent en colère, ils enlèveront un bébé pendant la nuit. Les esprits courroucés sont responsables de nombreux maux, qui vont d'une morsure d'insecte à une cheville foulée en passant par une récolte désastreuse. Nous choisissons donc nos mots avec soin, de peur qu'une parole malencontreuse réveille la colère d'un *diabu*, un mauvais esprit.

Plus tard

Maintenant que je commence à connaître Papa Kiluanji, il passe beaucoup de temps avec moi. Nous allons presque tous les jours nous asseoir près de la rivière et là, il me transmet son *zai*, son savoir.

— Bientôt tu seras mariée et tu iras vivre dans la maison de ton mari, m'a-t-il dit aujourd'hui. Si j'avais tenu compte de la prophétie à ton sujet, j'aurais commencé à t'instruire bien avant, mais j'avais des devoirs envers mon fils.

— Aussi longtemps que tu vivras, Papa Kiluanji, le royaume sera à l'abri.

— Mais je ne vivrai pas éternellement. La fatigue me gagne, même quand je parle. Tu dois me faire une promesse. Ton frère est un faible et on essaiera de se servir de lui pour s'emparer du pouvoir.

Il m'a fait promettre de ne pas laisser la faiblesse de Mbandi conduire le royaume à sa perte, de diriger mon peuple et de devenir un chef respecté.

— Souviens-toi, a-t-il ajouté, les ancêtres t'ont choisie.

J'ai juré de respecter sa volonté.

Assise au calme dans la cour, je repense aux paroles de mon père. Il m'a donné sa bénédiction pour régner sur le Ndongo lorsque mon heure viendra.

Quelques jours plus tard

Depuis cette conversation, Papa Kiluanji me permet de rester à ses côtés lorsqu'il rend justice. Je m'étais toujours demandé ce que je ressentirais si je me tenais là, près de lui. Maintenant c'est chose faite et ça me plaît.

Kwumi répand le bruit qu'avec l'aide de la vieille Ajala, j'aurais envoûté Kiluanji afin qu'il me préfère à Mbandi. Je me moque bien de ce qu'elle pense.

Malgré tout, Mbandi et Kwumi sont mes aînés. Les projets de Papa Kiluanji concernant ma position les inquiètent. Mais ils n'osent pas contester son autorité ou ses décisions. Ils se contentent de se plaindre entre eux. Papa Kiluanji m'a raconté par la suite que les oncles de Mbandi contribuent à propager la rumeur.

– Il faut les tenir à l'œil. Ces hommes sont assoiffés de pouvoir, m'a-t-il dit en s'asseyant à notre endroit préféré au bord de la rivière. Et ils sont prêts à tout pour l'obtenir.

Plus tard, j'ai répété à Mère Kenjela les paroles de Papa Kiluanji. Les frères de Kwumi me rappellent les crocodiles déguisés en troncs d'arbres morts, attendant toujours, aux aguets, un moment d'inattention pour fondre sur leur proie.

Mère Kenjela m'a prise dans ses bras.

– Ma fille, nous t'avons confié un fardeau bien trop lourd à porter. Mais souviens-toi que tes sœurs seront toujours disposées à t'aider.

– Toujours, a répété Mukambu.

– Peut-être que oui, a gloussé Kifunji.

Puis, sans cesser de tourner sur elle-même dans un tourbillon de tissu, elle a ajouté :

– Ou peut-être que non.

Avril, quatrième mois de l'an 1596

*O*ù est passé Njali ? Cela fait des jours, des semaines, qu'il est parti. Où est-il ? Le bruit court qu'il est allé vendre ses services ailleurs. Il me manque beaucoup.

Dimanche après-midi

*N*jali est rentré mais il n'est pas venu nous voir. Comme c'est bizarre ! Quand je l'ai vu, je lui ai demandé où il était allé.

– J'ai rendu visite à ma vieille mère, a-t-il répondu.

Pour la première fois de ma vie, je ne l'ai pas cru. Pourquoi?

– Il nous a raconté que sa mère était morte, m'a rappelé Mukambu.

Pourquoi Njali ne dit-il pas la vérité? Que cherche-t-il à cacher?

Mardi

Moi et mes sœurs étions en train de ramasser des ignames dans la forêt quand nous avons entendu des bruits au loin. Nous nous sommes cachées derrière le tronc mort d'un arbre *wunzi*. Deux hommes sont passés sans nous voir tout près de notre cachette. Ils étaient vêtus comme des Portugais, parlaient portugais mais ils étaient noirs. Qui étaient ces hommes? D'où venaient-ils et que faisaient-ils au Ndongo?

Ils n'étaient pas de taille à lutter contre moi et Mukambu. Nous pouvions facilement avoir le dessus, d'autant que la surprise était de notre côté.

En toute hâte, j'ai mis au point un plan avec mes sœurs. Tandis que je chargeais l'ennemi avec Mukambu, Kifunji a fait du raffut afin qu'ils s'imaginent que nous étions plus nombreux. Puis j'ai poussé un cri de guerre et j'ai lancé des flèches. Ces lâches n'ont offert aucune résistance : ils sont tombés à genoux en signe de soumission. Nous avons vite ligoté nos deux prisonniers avec des lianes avant de les escorter fièrement jusqu'à la cité royale. Nous les avons remis à Njali.

Le lendemain, mercredi

Quand les prisonniers portugais ont été amenés devant le *ngola*, ils avaient revêtu la tenue des Congolais du nord. Njali les a appelés *pombeiros*, qui désigne des hommes issus de mère noire et de père portugais. Ils apprennent les coutumes du peuple de leur mère puis ils utilisent le *zai*, le savoir, pour aider leur père à capturer des esclaves. Ce sont des marchands d'esclaves qui ont partie liée avec les Portugais.

— Vos frontières seront sûres aussi longtemps que vous aurez des guerriers de cette trempe, a dit l'un des *pombeiros* en s'inclinant devant moi et mes sœurs.

— C'est un honneur de rencontrer le grand Kiluanji, *ngola* du peuple mbundu du Ndongo, a ajouté l'autre.

Papa Kiluanji n'était ni flatté ni amusé.

– Vous vouliez que l'on vous amène ici, n'est-ce pas ? Avant d'être exécutés, dites-moi dans quel but vous avez risqué votre vie.

Les *pombeiros* ont supplié Papa Kiluanji de leur accorder une audience privée sur-le-champ et ce dernier a fini par accepter.

Plus tard, j'ai fait part à mes sœurs de mon dégoût vis-à-vis des *pombeiros* qui nous avaient laissé les capturer. Tout cela n'était qu'un jeu pour eux, et non un moyen de tester notre valeur de guerriers.

À mesure que je parlais, toute cette histoire me semblait de plus en plus étrange. Comment ces deux hommes étaient-ils parvenus à s'approcher aussi près de notre capitale sans attirer l'attention ? On avait dû les aider. Tout en me remémorant la scène, j'ai eu comme une impression de déjà-vu.

Et soudain j'ai compris. Notre rencontre avec les *pombeiros* ressemblait à nos retrouvailles arrangées avec Papa Kiluanji, le premier jour où nous l'avions accompagné à la chasse. Ce qui passait pour une rencontre fortuite était en réalité l'œuvre de Njali.

Qu'est-ce qu'il pouvait bien manigancer ? Je suis

inquiète mais je n'ai pas l'intention de laisser ma nature méfiante s'interposer entre mon meilleur ami et moi.

Le lendemain, jeudi

*L*es deux *pombeiros* sont toujours en pourparlers avec Papa Kiluanji. Personne ne sait de quoi ils peuvent bien discuter. Moi et Mukambu avons essayé par tous les moyens d'espionner leur conversation mais sans l'aide de Njali, nous n'y parviendrons pas.

Nous avons tous été sommés de paraître à la cour plus tôt dans la journée. D'après les tam-tams, le *ngola* avait une nouvelle importante à nous annoncer.

À la surprise générale, Papa Kiluanji a déclaré que le gouverneur portugais, dom João Furtado de Mendonça, avait chargé les deux *pombeiros* de négocier un traité de paix. Les Portugais renonceront à établir des colonies permanentes si les Mbundus acceptent de les approvisionner en esclaves. Le gouverneur a invité Papa Kiluanji à le rencontrer à Luanda afin de s'accorder sur les détails.

Des esclaves en échange de la paix? Peut-elle s'obtenir aussi facilement?

– Que penses-tu de tout cela ? a demandé Papa Kiluanji à Mbandi.

Le garçon a regardé sa mère puis ses oncles.

– Je... je crois que c'est un piège pour te capturer. Tous ont hoché la tête d'un air approbateur.

– Et toi, Nzingha, qu'en penses-tu ?

– Je suis de l'avis de Mbandi. Il a raison, ai-je répondu mais en moi-même, je pensais le contraire.

Oui, c'était peut-être un piège. Mais s'il existait une chance de conclure la paix, le *ngola* ne pouvait pas la laisser filer.

Cependant, manifester publiquement mon désaccord avec Mbandi n'aurait servi qu'à envenimer nos relations. Je ferai part au *ngola* de mes véritables sentiments, mais plus tard.

Les *pombeiros* ont reçu l'ordre suivant :

– Retournez dire à votre gouverneur que Kiluanji, *ngola* du peuple mbundu, viendra négocier la paix à Luanda.

Les Portugais n'ignorent pas que la capture d'un seul homme, fût-il le *ngola*, n'empêchera pas le peuple de se battre. Non. Les Portugais manigancent quelque chose. Des esclaves en échange de la paix : serait-ce si simple ? On peut se procurer des esclaves n'importe où. Que veulent-ils vraiment, et en quoi Njali est-il impliqué dans cette affaire ?

Plus tard

*L*a réponse à ma question est arrivée plus tôt que prévu. Njali est venu me chercher au beau milieu de la nuit. Papa Kiluanji voulait me parler.

– Prépare-toi, a ordonné mon père. Tu pars pour Luanda demain matin. Njali et le père Giovanni, à qui j'ai rendu sa liberté, t'accompagneront ainsi que quelques Élus qui ont mon entière confiance. Je relâche aussi nos prisonniers portugais pour témoigner de ma bonne volonté.

Luanda. J'étais trop bouleversée pour parler.

Je rencontrerais le gouverneur pour le compte de mon père puis je rapporterais à ce dernier les détails de notre entretien. Ensuite, il prendrait sa décision.

Une fois Njali et le père Giovanni sortis, mon père et moi avons pu discuter en tête-à-tête.

– J'ai compris, quand tu t'es rangée à l'avis de Mbandi, que tu étais assez grande pour accomplir la tâche qui s'annonce. Tu seras mes oreilles et mes yeux. Je te fais confiance. As-tu peur?

– Non.

J'étais sincère. La peur ne m'avait jamais effleurée. La surprise, oui. J'avais des réticences quant aux deux autres émissaires de mon père et, après avoir demandé la permission de m'exprimer librement, je lui ai fait part de mon inquiétude.

— Tu sais que je me suis toujours méfiée du père Giovanni. Mais ces derniers temps, c'est au sujet de notre cher Njali que je me pose des questions. S'il te plaît, ne me demande pas d'apporter une preuve d'un quelconque méfait, je n'en ai pas la moindre... C'est juste une impression.

Papa Kiluanji a ouvert le coffre qui contenait ses biens les plus précieux.

— Il y a un traître parmi nous. Ce voyage me permettra de savoir à qui je peux me fier. Puis il m'a tendu un morceau d'étoffe royale.

— Porte ce vêtement et resplendis comme une princesse.

— Je ne te décevrai pas, ai-je répondu.

— Souviens-toi de tout ce que je t'ai appris.

Juin, sixième mois de l'an 1596

Je n'ai pas écrit une ligne depuis des semaines en raison de mon séjour à Luanda. À présent il me faut prendre le temps de tout consigner avant d'oublier ce que j'ai vu et entendu.

Après avoir échangé des adieux pleins de larmes

avec Mère Kenjela et mes sœurs, j'ai quitté Kabasa à l'heure où les oiseaux du matin commençaient à gazouiller, juste avant le lever du soleil. Nous avons effectué la première partie du voyage en pirogue le long de l'un des nombreux affluents de la rivière Cuanza. Je regardais le monde avec des yeux nouveaux, je me repaissais de la vue comme une affamée. De fins papyrus bordaient les rives. Un énorme hippopotame s'est glissé dans l'eau avant de disparaître. D'innombrables oiseaux aquatiques fouillaient la vase en quête de nourriture, sans perdre de vue les crocodiles qui les observaient à distance.

Puis nous avons rejoint la rive à cause des courants mais il nous a fallu esquiver les branches basses et les nids d'oiseaux. Njali m'a montré un troupeau d'impalas dont le pelage variait du brun foncé au noir. Le père Giovanni s'est extasié devant leurs gigantesques cornes. J'ai eu plaisir à contempler un *zambu* qui se déployait au-dessus de la rivière. Cet arbre est formé de branches qui s'étendent jusqu'à la rive opposée, si bien que nous avons pu traverser la rivière sans se mouiller.

Nous avancions à mesure que les jours passaient. La route était pénible et accidentée. Enfin, la forêt a laissé place aux prairies puis au désert qui longeait la côte.

Enfin, nous sommes arrivés à Luanda. C'était comme pénétrer dans l'antre du lion.

Mais il est l'heure d'aller au marché avec mes sœurs. Je poursuivrai mon histoire plus tard.

Le lendemain

*J*e dispose de quelques minutes avant de me rendre à la cour. Cela me laisse le temps de continuer mon récit au sujet de mon séjour à Luanda.

Nous avons rejoint l'immense palais du gouverneur, ainsi que les Portugais l'appellent. Un des *pombeiros* qui avait été prisonnier à Kabasa nous a accueillis. Il nous a souhaité la bienvenue et nous a indiqué de bonne grâce l'endroit où nous devions nous installer. Épuisée par des semaines de voyage, cette nuit-là j'ai dormi paisiblement.

Tôt le lendemain matin, j'ai voulu sortir de ma chambre pour aller chercher Njali mais un garde m'a barré le passage. Au début, j'ai pris peur, croyant que j'étais prisonnière. Mais l'esclave qui m'a apporté ma nourriture, Susanna, une Mbundue, m'a assuré que je n'étais pas enfermée. Seulement, les invités n'ont pas le droit d'errer à leur guise dans le palais.

Alors je me suis assise près de la fenêtre qui surplombait la mer et j'ai regardé les bateaux aller et venir au gré du vent et des flots. Les voiles ressemblaient à de gigantesques ailes d'oiseaux et j'ai souri à cette pensée. Pas étonnant que mon peuple surnomme les Portugais *ndele*.

– Où vont tous ces gros bateaux ? ai-je demandé à Susanna en portugais.

Elle a paru très surprise que je parle cette langue.

– Au Portugal ou vers une autre terre appelée Brésil, a-t-elle répondu.

– Est-ce que tu es allée là-bas ?

– Non, mais je connais un homme, un Mbundu, qui est l'esclave d'un capitaine de bateau portugais.

– Pourrais-tu m'arranger une entrevue avec cet homme ?

Susanna m'a promis d'essayer.

Les tam-tams m'appellent à la cour. Je dois renoncer à écrire pour le moment.

Le lendemain matin

*I*l est tôt, c'est un bon moment pour écrire. Je reprends mon récit là où je l'ai laissé.

Les jours passaient, et le gouverneur de Luanda

ne nous recevait pas. Chaque matin, Susanna venait m'aider à me draper dans la précieuse étoffe dont mon père m'avait fait cadeau. L'après midi, de retour dans ma chambre, je me déshabillais, je mangeais seule puis je me couchais. Sans la présence de Susanna, l'attente aurait été intolérable.

Un après-midi, après une autre journée passée à attendre, Susanna est venue me chercher en douce pour m'emmener à la cuisine. Là, elle m'a présenté un autre Mbundu nommé Juan Pedro. Susanna a fait les présentations :

— Voici Nzingha, la première fille de Kiluanji, *ngola* du Ndongo.

Juan Pedro m'a expliqué qu'il s'appelait en réalité Jmee mais que son maître, un capitaine de vaisseau, l'avait fait baptiser et lui avait choisi un autre prénom.

Je ne voulais savoir qu'une chose : qu'arrivait-il aux prisonniers qui quittaient cet endroit ?

— On les envoie au Brésil travailler dans les plantations de tabac et de canne à sucre.

Tabac ? Plantations ? Nous avons parlé longtemps, Juan Pedro m'a expliqué ce que signifiaient ces mots nouveaux. Il m'a dit que chacun des vaisseaux au départ de Luanda était plein de prisonniers, pour la plupart des Mbundus capturés au cours des batailles. Jour après jour, on les entassait par centaines dans le ventre des bateaux.

– On les entend gémir, crier, implorer. Mais il n'y a pas de pitié qui tienne. Certains tentent de résister. D'autres préfèrent la mort et se précipitent dans la mer ; là, leur âme peut s'envoler, à nouveau libre, et retourner au pays. Pendant des jours, le vaisseau vogue sur les Eaux infinies jusqu'au Brésil. Une fois débarqués, les esclaves sont obligés de se tuer au travail dans les champs. Puis, de nouveaux bateaux arrivent, pleins de nouveaux prisonniers qui prennent la relève des anciens.

Après avoir entendu ce récit, j'avais pris ma décision : je ne voulais pas participer à la traite des esclaves avec les Portugais. Et je savais déjà que je conseillerais à Papa Kiluanji de ne s'associer en aucun cas avec ces gens.

Plus tard, en regagnant discrètement ma chambre, j'ai vu le père Giovanni parler à l'un des *pombeiros* dans le couloir. Ne se sachant pas espionné, il lui a donné une petite bourse qui devait probablement contenir de l'or. Les Portugais préfèrent l'or à toutes les autres richesses issues du sol. Mais qu'achetait le prêtre ?

Le lendemain matin, comme d'habitude, nous sommes allés attendre dans la salle d'audience du gouverneur. Mais ce jour-là, un homme de petite taille avec un nez en bec d'aigle nous avait envoyé chercher. Il transpirait, ses vêtements épais étaient sales et il sentait le lait de chèvre caillé.

– Rien n'a changé depuis mon départ. Soudoyer se révèle toujours aussi efficace, a murmuré le père Giovanni tandis qu'on nous annonçait au gouverneur.

Voilà donc ce qu'il a acheté. Je crois que je devrais le remercier, une fois encore.

– Princesse Nzingha, a dit le gouverneur Mendonça, je vais vous faire une offre simple et directe afin que vous compreniez...

Au souvenir d'Azeze et de la forte impression qu'il avait faite à la cour de mon père, j'ai interrompu le gouverneur.

– Veuillez m'excuser. Y a-t-il une chaise prévue pour moi ?

– Apportez une natte à la princesse, a-t-il lancé avec impatience.

Mais assise à même le sol, je n'aurais pas été à égalité avec le gouverneur qui, lui, était installé sur une chaise. Je ne voulais pas négocier dans une position d'infériorité. J'ai fait venir l'un des gardes qui nous escortaient. Je lui ai dit à voix basse ce que j'attendais de lui et, s'exécutant de bonne grâce, il s'est baissé pour me servir de banc. Assise sur son dos, j'ai fait signe au gouverneur de poursuivre. Manifestement, il était aussi déconcerté que je l'avais prévu. J'étais jeune mais je n'étais pas une enfant.

Le gouverneur Mendonça m'a annoncé qu'il exigeait des Mbundus qu'ils lui remettent cinq cents esclaves — hommes, femmes ou enfants — deux fois par an.

– On les fera travailler dans nos champs et accomplir des tâches domestiques.

Il n'a mentionné ni le Brésil ni le long voyage sur les Eaux infinies.

– Où allons-nous trouver tous ces prisonniers deux fois par an ? ai-je demandé.

– Vous avez des ennemis. Capturez-les. Nous garantissons que votre père sera grassement payé en contrepartie de ses services. Vous régnerez aussi sur vos terres, débarrassés de vos ennemis, et vous vivrez en paix.

Le gouverneur a ajouté que nous devions autoriser des prêtres et des moines « à prêcher la parole sainte et à baptiser » comme bon leur semblait au Ndongo. Sans cesser de me scruter sous ses sourcils broussailleux, il m'a exposé sa dernière exigence : il souhaitait bâtir des forts le long de la rivière Cuanza ainsi qu'à Massangano.

Des forts ? C'était la première fois qu'il était question d'autres *presidios*. Quand j'ai fait cette remarque, il a répondu que les autres termes de l'accord étaient nuls à moins que les forts ne soient acceptés.

– J'attends la réponse du *ngola*, a-t-il conclu.

J'ai eu la bonté d'accepter de répéter son offre à Papa Kiluanji. Puis il nous a renvoyés sans autre cérémonie.

Avant d'être escortée jusqu'à ma chambre, j'ai pu glisser quelques mots à Njali. Je lui ai rapporté ce que j'avais appris au sujet de l'esclavage tel qu'on le pratiquait dans cet endroit appelé Brésil.

– Nous traitons mieux notre bétail. Je répéterai ce que j'ai vu et entendu à Papa Kiluanji. Il doit connaître ces faits avant de décider s'il doit remettre des prisonniers à ces hommes.

Njali m'a rappelé que l'esclavage n'était pas une nouveauté. Lui-même avait été esclave, ainsi que ma mère.

– Nous avons toujours vendu nos prisonniers. C'est une coutume mbundue. La seule différence à présent est que nous les vendrons aux Portugais en échange de grandes richesses — et la richesse, c'est le pouvoir.

– Non, la différence est que l'enfant d'un esclave sera esclave à son tour. Ce ne sont pas les usages mbundus. J'utiliserai mon influence auprès de mon père pour le persuader de refuser ce pacte.

Njali a reculé d'un pas.

– Tu commets une erreur, princesse. Nous avons beaucoup à perdre. Les bénéfices que l'on peut tirer de cet arrangement sont trop importants pour qu'on les néglige.

– Mais il ne s'agit pas seulement de bénéfices, ai-je répliqué, de plus en plus étonnée par le comportement de mon vieil ami.

Pourquoi défendait-il cette ignominie que les Portugais nomment esclavage ?

J'ai du mal à poursuivre mon récit, maintenant. Je dois m'interrompre pour retrouver mes esprits.

Quelques jours plus tard

Mettre par écrit ce qui s'est passé à Luanda m'est utile, mais j'ai le cœur lourd.

De ma fenêtre, j'observais un vaisseau, silhouette sombre sur le ciel du crépuscule. Ses vastes ailes blanches étaient repliées, comme au repos, mais le rivage était en effervescence. En y regardant de plus près, j'ai vu des petites embarcations, où l'on avait entassé des gens, faire route vers le gros bateau. Certains de leurs occupants étaient des filles comme moi ou comme Mukambu et Kifunji. Il ne s'agit pas seulement de bénéfices, me suis-je répété.

J'ai essayé de m'imaginer ce que je ressentirais, si je me trouvais à bord d'un bateau voguant vers le Brésil. L'horreur de tout cela dépassait mon entendement.

Soudain, j'ai entendu du bruit derrière ma porte. Les *pombeiros* sont entrés, suivis de plusieurs gardes.

– Viens avec nous.

Puis s'adressant aux gardes, l'un d'eux a ajouté :

– Tenez-la bien. Elle est aussi forte qu'un jeune léopard.

Je me suis débattue et j'ai essayé de m'échapper. Mais ils m'ont attrapée et poussée dans le couloir jusqu'à une porte, puis au-delà des murs blancs du palais, dans la rue. Là, ils m'ont confiée à un autre homme qui m'a mis la tête dans un sac et m'a empoignée fermement.

L'un des *pombeiros* a dit :

– Merci de nous avoir avertis. Une fois débarrassés d'elle, nous pourrons poursuivre notre plan comme prévu. Bientôt, nous serons tous riches avec chacun notre royaume.

Qui remerciait-il ? J'ai réussi à dégager mon bras et j'ai arraché le sac. Njali se tenait devant moi.

– Le *ngola* te fera payer cette trahison de ta tête, ai-je dit, plus triste que courroucée.

Njali s'est mis à rire.

– C'est ainsi, princesse. Ma loyauté au plus offrant. Bon voyage.

Je lui ai craché au visage.

J'étais soulagée qu'ils me remettent la tête dans le sac, ainsi ils ne verraient pas les larmes couler sur mes joues. Mes mains étaient liées, mais je ne me laisserais pas guider comme une chèvre.

Puis j'ai entendu des cris, un bruit de lutte, et d'autres cris. Dans la bousculade, j'ai été projetée à même le sol et je me suis cogné la tête avant de m'évanouir. Lorsque j'ai ouvert les yeux à nouveau, le père Giovanni était penché au-dessus de moi. Je me trouvais en sûreté parmi ses frères dans un lieu secret.

– Tu ne courais aucun risque, princesse : tout ce temps, l'un des frères veillait sur toi.

Njali avait reçu l'ordre de me protéger au péril de sa vie. Mais maintenant, c'était mon ennemi qui s'en chargeait.

– Pourquoi m'aides-tu ? ai-je demandé au prêtre.

– Je suis redevable à ton père de toute la bonté qu'il m'a témoignée. Et puis il m'a fait confiance, a-t-il répondu. Il m'a expliqué que Njali était de mèche avec les *pombeiros* depuis le début, mais que le gouverneur n'était pas impliqué dans le projet de mon enlèvement, il en avait reçu la preuve.

– Comment Njali a-t-il pu être à ce point corrompu sans qu'on s'en aperçoive ?

– Un jour, il faudra que tu me laisses te raconter l'histoire de Judas, a répondu le père Giovanni.

Il m'a escortée jusqu'aux frontières du Ndongo et il s'en est retourné.

– J'ai été si cruelle envers toi, père Giovanni. Je t'en demande pardon.

Je l'ai supplié de revenir avec moi au Ndongo.

– J'ai encore tellement à apprendre.

– Je t'ai appris une grande leçon, Nzingha : les Portugais ne sont pas tous tes ennemis. Un jour, peut-être, je reviendrai à Kabasa. Mais pour l'instant, j'ai mieux à faire ici.

Après tant d'années passées parmi les Mbundus, il pensait que son peuple agissait mal.

– Peut-être parviendrai-je à convaincre le gouverneur de m'écouter. Et alors seulement une paix véritable sera possible.

J'ai raconté tout ce qui s'était passé à Papa Kiluanji avec les mots que j'ai écrits dans ces pages.

92

Le lendemain matin

Qu'il est bon de dormir à nouveau avec mes sœurs, de les entendre inspirer puis expirer, inspirer, expirer... Elles veulent entendre le récit de mes aventures, encore et encore.

Allongée sur ma natte, je n'arrive pas à croire qu'il s'est passé tant de choses en si peu de temps. Mère Kenjela ne tarit pas d'éloges à mon égard. Elle prétend que je les mérite.

C'est bon de sentir à nouveau mon arc contre mon épaule. Et puis d'être rentrée chez moi parmi ceux que j'aime et qui ont toute ma confiance. L'idée d'avoir failli être envoyée au Brésil me donne le vertige.

La nuit suivante

Après une journée passée avec Ajala et Pange, je suis fatiguée. La chaleur ne me dérange pas, mais cette nuit, comme je n'arrivais pas à dormir, je suis allée monter la garde avec les Élus. Au cours de ma ronde, j'ai aperçu une silhouette sombre qui escaladait le mur et gagnait le couloir menant aux quartiers de Papa Kiluanji. Convaincue qu'un étranger était sur le point de commettre un méfait, j'ai armé mon arc et je lui ai emboîté le pas. En courant prévenir mon père, j'ai eu la surprise de tomber sur Njali.

– Toi ! Espèce de traître !

Papa Kiluanji a levé les mains.

– Arrête, Nzingha. Ce n'est pas ce que tu crois.

À mon grand soulagement, Njali n'est pas un traître. Non, c'est un espion. Depuis des mois, il est de mèche avec les *pombeiros*, échafaudant des plans afin de se faire passer pour un traître. Ma capture était une autre de ses manigances. Njali veut persuader les *pombeiros* qu'il est contre nous. Ainsi, il saura où auront lieu les prochaines rafles d'esclaves, où les Portugais ont l'intention de bâtir de nouveaux forts et qui parmi les nôtres œuvre pour leur compte.

– Nous ne t'avons pas mise au courant de nos projets, Nzingha, parce que nous ne voulions pas que ta résistance soit feinte, a expliqué papa Kiluanji.

– Nous n'en avons pas informé le père Giovanni non plus parce que nous ne voulions pas que son sauvetage soit feint, a ajouté Njali.

– Ne laisse jamais la main droite savoir quelle arme tient la main gauche, ai-je dit, me remémorant le proverbe préféré de Papa Kiluanji.

– Tu n'as jamais couru aucun danger, Nzingha, a poursuivi Njali. Je t'aurais défendue jusqu'à la mort.

– Plus jamais je ne douterai de toi. Même si mes yeux me prouvent le contraire, j'écouterai mon cœur.

Je suis heureuse à présent. Heureuse d'avoir retrouvé mon ami. Heureuse que le père Giovanni soit cet homme bon qui croit aux préceptes de ses ancêtres. Heureuse que mon père me compte parmi ses conseillers et ses personnes de confiance. Et surtout, heureuse qu'il ait refusé de vendre des esclaves aux Portugais.

Septembre, pleine lune, 1596

Mère Kenjela projette de présenter Mukambu à la cour. Je reste célibataire. Papa Kiluanji vient de m'envoyer chercher. Je reprendrai mon récit plus tard.

Plus tard

On m'a fait une proposition pour ta dot, a-t-il dit. Une proposition considérable. Une des plus importantes dont j'ai jamais eu vent. Bien qu'à mon avis, ce ne soit toujours pas assez pour une fille de ta valeur.

Je n'ai pas pu m'empêcher de sourire.

– Quand Atandi vient-il me chercher?

– Ce n'est pas Atandi qui m'a fait cette offre. C'est Azeze.

Je ne suis pas déçue en ce qui concerne Atandi. Avec Azeze, je n'aurai pas à poser mon arc et mes flèches quand je serai mariée. Et peut-être que la chasse avec mon père ne me manquera pas, car j'irai avec mon mari. Cette idée me fait rire, et cela fait bien longtemps que je n'avais pas ri. Je dois aller annoncer la bonne nouvelle à Mère Kenjela ainsi qu'à mes sœurs.

POUR ALLER PLUS LOIN

QUE SONT-ILS DEVENUS ?

Entre 1596 et 1617, Nzingha se maria et donna naissance à un fils. Son mari Azeze fut tué quelques années plus tard au cours d'une bataille. Mukambu et Kifunji, elles aussi, se marièrent et la guerre emporta leur mari, mais elles restèrent jusqu'à leur mort les compagnes de Nzingha.

Contrairement à d'autres tribus, le *ngola* Kiluanji ne conclut jamais d'alliance avec les Portugais. Ceux-ci, avec l'aide des *pombeiros* et d'autres alliés, pénétrèrent le cœur des terres du Ndongo. Des milliers de personnes furent capturées et envoyées au Brésil ou dans les Caraïbes, où elles moururent d'épuisement. Malgré leur vaillance, les Mbundus perdaient du terrain. Ils subirent une terrible défaite, à Massangano en 1597, lors de laquelle Kiluanji fut gravement blessé. Condamné à mort pour espionnage, Njali parvint à s'échapper et retourna à Kabasa où il continua à se battre aux côtés de Kiluanji. Ce dernier mourut en 1617. Mbandi, secondé par ses oncles, s'empara du pouvoir. Grisé par ses privilèges, il ordonna l'exécution de tous ses opposants, y compris Mère Kenjela et le fils de Nzingha. Mbandi aurait aussi projeté d'assassiner Nzingha mais elle était trop aimée du peuple.

Nzingha, pour rester fidèle à la promesse qu'elle avait faite à son père, laissa de côté ses griefs quand Mbandi la chargea de se rendre à Luanda. Elle négocia un traité de paix, reprit contact avec le père Giovanni et se fit baptiser. Elle prit le nom d'Ana de Sousa en l'honneur du nouveau gouverneur, Fernando João Carreira de Sousa. On ignore s'il s'agissait d'une conversion sincère ou d'un stratagème contre les Portugais.

Quelques semaines après le retour de Nzingha à Kabasa, Mbandi mourut. Les Portugais en profitèrent pour attaquer Kabasa. Affaiblie par des années de mauvaise gestion du pouvoir, la ville fut incendiée. Nzingha et son peuple se replièrent dans les montagnes où elle rallia le reste de son armée. C'est à cette époque qu'elle prit le commandement.

En 1624, à l'âge de quarante-deux ans, Nzingha devint *ngola* du peuple mbundu du Ndongo. Ses sœurs Mukambu et Kifunji restèrent à ses côtés et Njali l'aida à conclure une alliance avec les Imbangalas. Pendant les quarante années suivantes, elle mena une guerre contre les Portugais et leur traite d'esclaves dans les montagnes de Matamba.

Nzingha négocia des traités de paix avec les Hollandais et les Portugais, sans cesser de combattre l'esclavage. Elle mourut en 1663, à l'âge de quatre-vingt-deux ans. Sa sœur Mukambu, qui lui succéda, ordonna que sa sœur soit enterrée recouverte de sa peau de léopard. Et, pour défier les Portugais, qu'elle repose avec son arc à l'épaule et des flèches à la main.

QUE SAIT-ON DE NZINGHA ?

Le chroniqueur le mieux informé sur la vie de Nzingha (appelée aussi Jinga) fut sans doute le père Giovanni Gavazzi, un prêtre portugais qui vécut à la cour de Kiluanji pendant plusieurs années. Il est ainsi l'auteur de la plupart des écrits concernant ce *ngola*, sur lesquels nous nous sommes appuyés pour raconter la jeunesse de la princesse. Malheureusement, son analyse des croyances et des coutumes africaines était truffée de préjugés qui subsistent encore aujourd'hui.

Plus récemment, des écrivains et des historiens africains ont utilisé les notes de Gavazzi en essayant de séparer la réalité de la légende afin de révéler la véritable Nzingha. Nous avons essayé d'être le plus rigoureux possible dans nos recherches et dans la rédaction de cette nouvelle version de sa vie.

Les personnes, lieux, coutumes et événements de ce journal intime appartiennent à l'histoire. Les personnages fictifs s'inspirent de l'entourage de Nzingha. Cependant, la première visite de la princesse à Luanda n'eut pas lieu l'année de ses treize ans. La seule visite mentionnée dans les documents historiques date de 1622 lorsque Nzingha fut envoyée à Luanda par son frère pour négocier un traité de paix avec les Portugais.

LA VIE EN ANGOLA EN 1595

Les Portugais avaient tenté de briser la résistance des Mbundus depuis que l'explorateur Diogo Cão avait atteint l'embouchure du fleuve Congo en 1483. À cette époque, le Congo incluait la région qui correspond à l'actuel Angola. Les premiers temps, les Portugais ont entretenu des rapports paisibles avec les chefs congolais, troquant des esclaves contre des armes. Mais, comme les marchands d'esclaves se déplaçaient vers le sud et devenaient de plus en plus violents, ils rencontrèrent de la résistance. Le grand-père de Nzingha, le *ngola* Mbandi Kiluanji du Ndongo refusa le christianisme et la colonisation portugaise.

Lorsque Paulo Dias de Novães se rendit à Kabasa en 1561, le *ngola* le retint en otage pendant quatre ans. De retour à Lisbonne, il déclara au roi Sebastiao qu'on ne pouvait vaincre les Mbundus que par les armes avant de retourner au Congo et de s'autoproclamer gouverneur de Luanda en 1576. La ville devint le siège de l'administration coloniale portugaise et un port de premier plan dédié à la traite des esclaves.

Durant les quarante années suivantes, les Portugais se révélèrent incapables de pénétrer à l'intérieur de l'Angola. Naturellement, ils espéraient qu'une Nzingha « christianisée » leur permettrait d'étendre leur domination. Ils se trompaient.

Nzingha utilisa habilement son alliance avec les Portugais

pour détrôner son frère. Mbandi avait détruit tout espoir d'une alliance avec les peuples de la région. Les conflits perturbaient la circulation des marchandises et mobilisaient les fermiers qui ne produisaient plus en abondance.

Peu après la visite de Nzingha à Luanda, le *ngola* mourut. Malgré les soupçons qui pesaient sur elle, on ne put jamais prouver qu'elle avait tué ou fait tuer son frère. D'abord chargée de la régence, Nzingha fut sacrée reine du Ndongo en 1624. Pour assurer la paix, elle paya les Portugais, à titre de taxe, en esclaves et en ivoire, mais le pacte se désagrégea, car Nzingha refusait de laisser le champ libre à la colonisation des territoires mbundus. Les Portugais ripostèrent en attaquant Kabasa qu'ils incendièrent en 1629.

Le Ndongo tomba aux mains des Portugais. Ils choisirent un *ngola* fantoche, Ari Kiluanji, pour régner sur les Mbundus. Mais un certain nombre d'entre eux rejoignit Nzingha dans les collines surplombant la rivière Cuanza. Nzingha refusa de participer à la traite des esclaves et offrit un refuge à tous les fugitifs. Ceux-ci étaient une composante majeure de son armée de *jaga* (étrangers).

Nzingha conquit alors le royaume de Matamba où elle s'allia avec les Imbangalas qui formèrent le cœur de son armée de volontaires.

Nzingha est avant tout célèbre pour ses campagnes militaires contre les Portugais en Angola. De 1630 jusqu'à sa mort en 1663, elle lança une importante offensive contre le régime portugais. Cependant, elle ne parvint jamais à unir le peuple mbundu. Les chefs de clans mbundus, les *soba*, refusèrent de reconnaître son autorité. Son sexe et son lignage maternel, associés aux rumeurs sur la mort de son frère furent des obstacles. Néanmoins, elle régna à la fois sur le Ndongo et sur le Matamba pendant près de quarante ans, faisant montre d'une étonnante intelligence militaire et d'un solide bon sens en matière de diplomatie.

Lorsque les Hollandais occupèrent Luanda de 1641 à 1648, elle se hâta de conclure la première alliance afro-européenne contre un envahisseur européen. Elle ignorait alors que les Hollandais n'étaient guère différents des Portugais au regard de la colonisation et de l'esclavage.

Après une guerre interminable contre les Portugais, Nzingha commença à montrer des signes de fatigue. Les Portugais également. Et selon certaines sources, plutôt que de négocier en position de faiblesse, elle préféra signer un nouveau traité de paix avec l'ennemi en 1656. Ce fut pour le moins une paix troublée car ni Nzingha ni les Portugais ne se faisaient confiance. Nzingha garda la même position vis-à-vis de l'esclavage jusqu'à sa mort, le 17 décembre 1663 d'après les documents portugais.

On estime qu'au cours du XVIIIe et du XIXe siècle, environ sept Africains sur dix débarquant à Charleston, en Caroline du Sud, provenaient de la région nommée Angola, près du fleuve Congo. Les structures syntaxiques utilisées par les habitants des Sea Islands au large de la Géorgie et de la Caroline du Sud sont très proches du kimbundu, un dialecte bantou, celui-là même parlé par Nzingha. Même le nom qui désignait les esclaves des Sea Islands et leur dialecte, gullah, provient du mot Angola, ou plus probablement de *ngola*.

En Amérique du Sud, c'est la colonie portugaise du Brésil qui accueillit le plus grand nombre de captifs angolais. De nos jours, les descendants de ces esclaves donnent encore des cérémonies pour célébrer la lutte de Nzingha contre l'esclavage. D'après la légende, les esclaves croyaient que Nzingha avait envoyé des guerriers au Brésil afin d'organiser un mouvement de résistance. Et il est vrai que l'un de ses parents, un guerrier appelé Zumbi, également connu sous le nom d'Angola Janga, le petit Angola, s'échappa d'une plantation et établit au nord du Brésil une colonie qui accueillait les esclaves en fuite.

Aujourd'hui encore, l'esprit de Nzingha se perpétue parmi son peuple. Ainsi que l'écrivait l'un de ses biographes au XVIIe siècle, « de par sa soif de liberté et son combat incessant pour ramener la paix parmi les siens, Nzingha demeure un symbole et une source d'inspiration. »

LA FAMILLE KILUANJI

Les Mbundus constituent le groupe ethnique le plus important et l'un des plus anciens peuples de l'Angola moderne. Ils se divisent en nombreux royaumes ou sous-groupes, parmi lesquels les Lenges, les Songos, les Mbondos, les Hungus, les Pendes, les Libolos, les Ndongos et les Imbangalas. Chaque groupe se compose de clans ou de lignées matrilinéaires, c'est-à-dire d'ascendance maternelle. Chez les Mbundus, chaque individu est rattaché au clan de sa mère et tous les mariages sont aussi des unions entre clans.

La mère de Nzingha était une esclave, ce qui signifie qu'elle avait été chassée de son clan et intégrée à un autre groupe. Elle n'avait pas de famille et ne pouvait donc être qu'une *jaga*, une étrangère. Bien que Nzingha fût la première fille du *ngola*, elle-même et ses sœurs étaient également considérées comme des étrangères.

L'histoire mbundue se transmettait par le biais des rituels, de l'art et de l'artisanat ainsi que de la tradition orale. Certaines versions de l'histoire orale mbundue furent couchées par écrit au XVIIe siècle. En dépit de ces écrits et des recherches universitaires, des zones d'ombre subsistent en ce qui concerne les événements, et il n'existe en pratique aucun document ayant trait aux liens familiaux et à la vie privée.

Ngola Ndambi Kiluanji:

père de la reine Nzingha. Il devint *ngola* à l'époque où les Portugais tentèrent pour la première fois de coloniser le Ndongo. Il était considéré comme un adversaire farouche des Portugais.

Kenjela:

mère de Nzingha et de ses deux sœurs, Mukambu et Kifunji. Elle mourut vers 1616.

Enfants du *ngola* Kiluanji

Nzingha Ndambi:

née vers 1582, elle fut *ngola* du Ndongo de 1624 à 1626 et reine de Matamba de 1630 à 1663. Également connue sous le nom de Doña Ana de Sousa, la reine Nzingha est une figure héroïque dans l'Angola actuel.

Ngola Mbandi:

fils du ngola Ndambi Kiluanji et de sa première femme. Il ne manifestait pas l'envie de devenir chef et n'en possédait pas les qualités. Malgré ses faiblesses, il devint *ngola* en 1617, à titre de fils du *ngola* et de son épouse reconnue. Il mourut en 1623.

Mukambu:

sœur dévouée de la reine Nzingha. Après la mort de cette dernière en 1663, elle lui succéda.

Kifunji:

sœur de la reine Nzingha, née autour de 1587. Elle fut tuée au cours d'une bataille.

DES LIVRES ET DES FILMS

À LIRE

Esclaves et négriers, par Jean Meyer,
Découvertes, Gallimard

Sur les traces des esclaves, par Marie-Thérèse Davidson
et Thierry Aprile, Gallimard Jeunesse

À VOIR

Amistad, de Steven Spielberg,
avec Morgan Freeman et Anthony Hopkins

L'AUTEUR

Selon **Patricia C. McKissack**, auteur plusieurs fois récompensé : « Me plonger dans la vie de Nzingha fut pour moi une expérience enrichissante. Je n'avais jamais entendu parler de cette femme remarquable mais je suis fière de la connaître à présent. Son histoire vaut la peine d'être racontée. »

Née dans une petite ville près de Nashville, dans le Tennessee, Patricia McKissac a étudié à l'université d'état du Tennessee où elle a obtenu un diplôme d'anglais. « J'ai toujours adoré l'histoire, en particulier l'histoire africaine et afro-américaine. Le désir d'en savoir plus sur mes racines et de partager cette connaissance est le moteur de mon métier d'écrivain. »

Les McKissack, mariés depuis 1964, ont trois fils. Ils vivent et travaillent à Chesterfield, dans le Missouri, aiment s'occuper de leur jardin d'intérieur, courir les brocantes et regarder des films, anciens ou récents. Lorsqu'ils ne se déplacent pas pour leurs recherches, ils voyagent pour le plaisir.

Dans la collection Mon Histoire, Patricia C. McKissack a déjà publié *Je suis une esclave*.

Mon Histoire

L'ANNÉE DE LA GRANDE PESTE

JOURNAL D'ALICE PAYNTON, 1665-1666

Tante Nell est revenue toute pâle du marché. Elle a entendu deux hommes discuter: la semaine dernière, sept cents personnes sont mortes de la maladie. La peste s'est bel et bien installée à Londres.

MARIE-ANTOINETTE

PRINCESSE AUTRICHIENNE À VERSAILLES, 1769-1771

J'ai à peine posé le pied dans la salle de réception que maman s'est précipitée vers moi. Elle m'a écrasée sur sa poitrine et m'a murmuré: «Antonia, tu vas te marier! Tu vas devenir reine de France!»

S.O.S. TITANIC

JOURNAL DE JULIA FACCHINI, 1912

Le capitaine a posté des vigies à l'avant, avec mission de guetter les glaces à la dérive, ou le moindre signe du Titanic. Comment imaginer qu'à quelques milles d'ici un navire aussi énorme soit en perdition?

Mon Histoire

PENDANT LA GUERRE DE CENT ANS

JOURNAL DE JEANNE LETOURNEUR, 1418

Tant qu'il me sera possible, j'écrirai tous les jours jusqu'à ce que cette maudite guerre finisse. S'il m'arrivait malheur, j'aimerais que mes parents retrouvent ce souvenir de moi.

DANS PARIS OCCUPÉ

JOURNAL D'HÉLÈNE PITROU, 1940-1945

C'est une honte : Pétain a appelé les Français à « collaborer avec les Allemands ». Et papa est prisonnier de ces gens avec qui il faudrait « collaborer » !

CLÉOPÂTRE, FILLE DU NIL

JOURNAL D'UNE PRINCESSE ÉGYPTIENNE, 57-55 AVANT J.-C.

La nouvelle est arrivée. J'ai porté la tablette jusqu'à la fenêtre, brisé le sceau et lu le message. Mon père qui se cache depuis des semaines se trouve au port, prêt à embarquer pour Rome.

LE SOURIRE DE JOSÉPHINE
JOURNAL DE LÉONETTA, 1804

Cela s'est passé si vite que je n'ai pas eu le temps vraiment d'être impressionnée avant d'arriver devant... l'Impératrice!

JE SUIS UNE ESCLAVE
JOURNAL DE CLOTEE, 1859-1860

Liberté, c'est peut-être le premier mot que j'ai appris toute seule. Ici, les gens, ils prient, ils chantent pour la liberté. Mais c'est un mot qui me parle pas, que j'ai encore jamais pu voir.

EN ROUTE
VERS LE NOUVEAU MONDE
JOURNAL D'ESTHER WHIPPLE,
1620-1621

«Terre en vue!». Nous nous précipitâmes sur le pont. Certes, le voyage avait duré soixante-cinq interminables journées, mais nous voilà arrivés. Ceci est le Nouveau Monde.

CRÉDITS PHOTOGRAPHIQUES

Couverture : tissu de raphia (Congo) © photo RMN / J.-G. Berizzi

Mise en pages : Aubin Leray

Loi n° 49-956 du 16 juillet 1949
sur les publications destinées à la jeunesse

N° d'édition : 135025
Dépôt légal : mars 2006
ISBN : 2-07-057036-3

Imprimé en Italie par LegoPrint